QUI EN VEUT
À JESSIE ?

Titres de la collection

Titres de la collection

42

QUI EN VEUT À JESSIE ?

Quatre gardiennes fondent leur club

Ann M. Martin

Adapté de l'américain par
Sylvie Prieur

Données de catalogage avant publication (Canada)

Martin, Ann M., 1955-

Qui en veut à Jessie?

(Les Baby-sitters; 42)
Traduction de: Jessi and the dance school phantom.
Pour les jeunes.

ISBN: 2-7625-7590-7

I. Titre. II. Collection: Martin, Ann M., 1955-
Les baby-sitters; 42.

PZ23.M37Qu 1993   j813'.54   C93-097319-4

Conception graphique de la couverture: Jocelyn Veillette

Jessi and the Dance School Phantom
Copyright © 1991 by Ann M. Martin
publié par Scholastic Inc., New York, N.Y.

Version française:
© Les éditions Héritage inc. 1994
Tous droits réservés

Dépôts légaux: 1er trimestre 1994
Bibliothèque nationale du Québec
Bibliothèque nationale du Canada

ISBN: 2-7625-7590-7

LES ÉDITIONS HÉRITAGE INC.
300 Arran, Saint-Lambert (Québec) J4R 1K5
(514) 875-0327

*L'auteure remercie
Ellen Miles pour l'aide qu'elle
a apportée à la préparation
de ce manuscrit.*

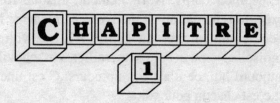

CHAPITRE 1

— Et maintenant, mesdemoiselles, *un pas de bourrée couru, en cinquième*, avec *port de bras*, en terminant par une *arabesque*. À tour de rôle s'il vous plaît… allons-y !

Ce disant, madame Noëlle frappe le sol de son bâton.

Vous vous demandez ce que signifie ce charabia ? Très simple. Madame Noëlle, mon professeur de ballet, nous demande de traverser la salle sur la pointe des orteils, en décrivant des mouvements gracieux avec nos bras et en terminant en équilibre sur une pointe, les bras tendus sur les côtés.

— Jessica Raymond, à vous ! lance madame Noëlle.

Jessica Raymond, c'est moi. Fermant les yeux pendant une fraction de seconde, je me représente mentalement ce que je dois faire. Il est important que je réussisse le meilleur *pas de bourrée* que j'aie jamais exécuté. Pourquoi ? Parce que c'est la dernière étape des auditions finales en vue d'un super spectacle que montera mon école de ballet. Imaginez ! On va présenter *La Belle au bois dormant*, et je voudrais bien obtenir le premier rôle.

Prenant une grande inspiration, je m'élève sur mes pointes puis je m'élance. Je suis si concentrée que j'en oublie presque madame Noëlle, qui, je le sais, observe attentivement chacun de mes mouvements et chaque muscle de mon corps. Normalement, chaque fois que nous exécutons un pas ou un mouvement, madame Noëlle passe des commentaires du genre : « Étirez votre cou, mademoiselle ! » ou « Faites travailler vos chevilles ! » Mais aujourd'hui, ce n'est pas un cours. C'est une audition, et c'est chacun pour soi.

Je termine le *pas de bourrée* par une gracieuse *arabesque* (du moins, je l'espère !), puis je me range sur le côté de la scène pour observer mes compagnes de classe exécuter le même pas, une à une. Il y a beaucoup de bonnes danseuses dans ma classe. C'est normal puisque nous suivons toutes un cours avancé. Prenez Marie Bernard, par exemple. Elle est en train d'exécuter un *pas de bourrée* parfait. En vérité, elle fait tout à la perfection. Cependant, je trouve qu'elle manque de passion. Elle danse comme un robot, si vous voyez ce que je veux dire.

Moi, je pense qu'on ne pourra jamais me prendre pour un robot. Pour autant que je sache, les robots ne sont jamais noirs. D'ailleurs, on a plus de chance de rencontrer une ballerine noire qu'un robot noir !

Il y a vingt ans, on n'aurait jamais cru possible qu'une fille comme moi, à la peau couleur de chocolat et aux yeux noir charbon, puisse évoluer au sein d'une troupe de ballet professionnelle. Mais les temps ont changé, et il y a maintenant des ballerines de race noire. Cela me permet de rêver et d'espérer que je deviendrai un jour une grande ballerine. Voyez-vous, j'adore le ballet !

Et c'est aussi le cas de Karine St-Onge. D'ailleurs, cela paraît dans la *bourrée* qu'elle termine à l'instant. Karine compte parmi les meilleures danseuses de la classe, et aussi les plus âgées. Elle termine son cours cette année et c'est probablement sa dernière chance de décrocher un rôle principal. Voyez-vous, un rôle comme celui de la princesse Aurore lui ouvrirait les portes des grandes écoles de ballet. Elle aurait ensuite de bonnes chances de faire partie d'une troupe de ballet professionnelle.

— Très bien, mademoiselle St-Onge, complimente madame Noëlle.

Elle n'a pas passé de commentaire sur mon propre enchaînement. J'essaie de ne pas m'en faire. Ce n'est peut-être pas vraiment significatif.

Il n'y a pas si longtemps, lorsque je suis entrée à l'école, je trouvais madame Noëlle très intimidante. C'était au moment de notre arrivée à Nouville. La compagnie pour laquelle travaille mon père l'a muté ici et je dois dire que l'adaptation a été pénible pour toute la famille.

Cela a été pénible pour diverses raisons: nous avons dû laisser nos amis et nos parents, nous établir dans une ville inconnue et... faire face à la discrimination. Au New Jersey, les Noirs sont bien intégrés dans la communauté. Ici, les gens ne sont pas habitués à voir des Noirs et encore moins à vivre avec eux. Le moins qu'on puisse dire, c'est qu'ils ne nous ont pas accueillis à bras ouverts.

Mais avec le temps, nous avons tous réussi à nous faire des amis à Nouville et la vie est maintenant beaucoup plus agréable pour ma famille. Et moi, j'ai pu entrer dans cette école de ballet qui compte parmi les meilleures de la province. Madame Noëlle jouit d'une excellente réputation dans le monde du ballet. Je la trouve un peu moins intimidante maintenant.

Marie-Claude Perrault termine son enchaînement et vient me rejoindre.

— Beau travail, Marie-Claude, dis-je.

— Merci, dit-elle en me regardant d'un air suspect, comme si elle doutait de ma sincérité.

Il faut dire qu'entre elle et moi, ça n'a pas toujours été l'amitié. Nous étions même ennemies à une certaine époque. Mais nous nous entendons assez bien ces derniers temps. Néanmoins, lors des auditions, l'atmosphère est assez compétitive et il n'y a pas de place pour l'amitié.

— Je déteste ce costume, fait Marie-Claude en remontant son collant. Ce serait tellement mieux si on pouvait porter ce qui nous plaît.

Tout le monde porte le même uniforme: un maillot noir et des collants roses. Si on avait le droit de porter ce qu'on veut, il y aurait tellement de *fluo* dans la classe qu'on serait aveuglés. Moi, ça ne m'embête pas de toujours porter la même chose. C'est moins compliqué ainsi. Je n'ai pas à me casser la tête pour savoir ce que je vais mettre.

Il y a d'autres façons d'exprimer notre personnalité. Notre coiffure, par exemple. Moi, je remonte habituellement mes cheveux en chignon. Karine se fait une queue de cheval. Quant à Stéphanie Mayrand…

Stéphanie a toujours ce qu'il y a de mieux. Un nouveau maillot aux deux semaines, des chaussons à pointes aussi souvent qu'elle en a besoin (alors que nous nous efforçons de faire durer les nôtres). Et mademoiselle se «fait faire» des tresses françaises deux à trois fois par semaine. Ce n'est pas que la famille de Stéphanie soit riche, mais voyez-vous, sa mère ne vit que pour la carrière de ballerine de sa fille. Madame Mayrand, qui était elle-même ballerine avant de fonder sa famille, pousse littéralement Stéphanie à suivre ses traces. Elle assiste habituellement à tous les cours et la pauvre Stéphanie n'a pas une minute de répit.

Heureusement, elle n'est pas là aujourd'hui. Madame Noëlle ne tolère aucun visiteur pendant les auditions. Nous sommes assez nerveuses comme ça.

Soudain, je me rends compte que les dernières élèves ont passé et que l'audition est terminée. Madame Noëlle nous rassemble sur la scène et nous regarde à tour de rôle sans dire un mot. Finalement, elle sourit.

— Vous avez toutes été admirables aujourd'hui. Malheureusement, il ne peut y avoir qu'une seule princesse Aurore. Je vous ferai part de ma décision dans quelques minutes. En attendant, allez vous changer.

Nous nous précipitons au vestiaire, pressées de connaître les résultats de l'audition. Tout le monde parle en même temps, chacune s'informant de sa performance.

— As-tu remarqué que je n'étais pas tout à fait en équilibre lorsque j'ai fait mon *arabesque*? me demande Élise Martin en enfilant un ample coton ouaté.

Pauvre Élise! Elle s'inquiète toujours au sujet de sa performance.

— Désolée, dis-je, mais je n'ai pas porté attention aux autres. Je pense que j'étais sur une autre planète.

— Je pensais mourir après avoir traversé toute la scène au *pas de bourrée*, déclare Stéphanie. La scène est beaucoup plus grande que notre studio de danse. Ce n'est pas juste.

— Au contraire, je pense que c'est équitable, puisque c'est sur cette scène que nous danserons, de répondre Karine.

— Peut-être, dit Stéphanie sans avoir l'air vraiment convaincue.

— J'espère que madame a remarqué que j'ai beaucoup travaillé mes mouvements de bras, fait Karine avant de sortir du vestiaire.

— Il vaudrait mieux pour elle que madame n'ait pas remarqué qu'elle est sur son déclin, lance Stéphanie en pouffant de rire.

Sur son déclin ! Karine a beau être l'une des plus âgées de la classe, elle n'a tout de même que deux ou trois ans de plus que moi. Le ballet semble être une discipline gracieuse et élégante, mais en réalité c'est un monde dur et compétitif. Même si j'ai envie de prendre la défense de Karine, je me garde de le faire. J'ai pour principe de ne jamais me mêler des potins de vestiaire.

— Je meurs d'envie d'interpréter la princesse Aurore, soupire Stéphanie tout en tapotant sa coiffure impeccable devant la glace. Quel rôle merveilleux ! lance-t-elle en sortant de la pièce.

— Prions pour qu'elle n'obtienne pas le rôle, remarque Marie-Claude, sinon, on devra endurer madame Mayrand pendant toutes les répétitions !

— Ouais, répond Élise. Je pense que la mère de Stéphanie danserait à sa place si elle le pouvait.

Finalement, nous nous retrouvons toutes dans le studio, où nous formons cercle autour de madame Noëlle qui arbore un air très sérieux.

— *La Belle au bois dormant* est l'un des plus beaux ballets du monde, commence-t-elle. Danser ce ballet est un privilège, si petit que soit le rôle.

Bien sûr. Sauf que personne ne veut de petit rôle. Toutes aspirent au rôle principal.

— Pour commencer, le rôle de la Fée des lilas sera interprété par Élise Martin.

Élise sourit. Je pense qu'elle ne s'attendait pas à avoir le rôle principal. La Fée des lilas est un rôle important et elle semble contente de l'avoir décroché.

— Ensuite, le rôle de l'Oiseau bleu revient à Karine St-Onge.

Normalement, ce rôle est interprété par un homme. Mais il semble que cette fois, ce sera une fille. Voyez-vous, il n'y a pas beaucoup de garçons à l'école et aucun dans notre classe.

Karine pousse un petit soupir, puis réussit à sourire à madame Noëlle.

— Merci, dit-elle. Je sais que le *pas de deux* de l'Oiseau bleu est très célèbre. J'essaierai de me montrer à la hauteur.

Je dois reconnaître qu'elle cache admirablement bien sa déception. Je ne suis pas certaine que j'aurais pu faire pareil.

— Et maintenant, je vais vous dire ce que vous attendez toutes avec impatience, déclare madame Noëlle. Il n'y a qu'une seule élève dans cette classe qui possède le talent et la grâce pour donner vie au rôle de la princesse Aurore.

Silence.

— Cette élève, c'est mademoiselle Raymond, annonce enfin madame Noëlle.

Comme dans un rêve, j'accepte les félicitations d'Élise et de Marie-Claude. On dirait que je ne réalise pas pleinement ce qui m'arrive. Cela fait un autre rôle principal à mon crédit. J'ai adoré danser dans le *Lac des cygnes*. Et interpréter Swanilda dans *Coppélia* m'avait paru incroyable. Mais la princesse Aurore ! C'est LE rôle dont rêve toutes les ballerines.

Lorsque je reviens finalement à la réalité, il ne reste plus que madame Noëlle et moi dans la pièce.

— Félicitations, Jessie, dit-elle en souriant gentiment. Vous méritez ce rôle. Vous possédez énormément de talent.

— Merci, madame, dis-je en rougissant.

Puis, je lui dis au revoir et je cours vers la sortie attendre mon père.

La mère de Stéphanie Mayrand arrête sa voiture devant l'escalier juste au moment où je sors. Stéphanie se dirige vers la voiture avec une tête d'enterrement.

— As-tu obtenu le rôle principal ? lui demande sa mère dès qu'elle ouvre la portière.

Stéphanie secoue la tête en signe de négation. Madame Mayrand fronce les sourcils et commence aussitôt à faire des remontrances à sa fille.

— Je t'avais pourtant dit de…

Je détourne le regard, incapable d'en entendre davantage. Pauvre Stéphanie. Il me semble que ce n'est pas juste qu'elle soit aussi démoralisée alors que je suis au septième ciel. J'ai peine à croire ce qui m'arrive.

« La princesse Aurore, me dis-je, tout bas. La princesse Aurore. »

Après le départ de Stéphanie, je m'assois en attendant mon père. Toujours sous le choc, je décide de le faire languir en faisant comme si tout était normal.

— Bonjour, ma chatte! lance-t-il en arrivant. Comment ça va?

Il démarre la voiture et, bien qu'il soit concentré sur sa conduite, je le sens me regarder du coin de l'œil. Derrière son air détaché, je sais qu'il meurt d'envie de connaître les résultats de l'audition.

— Pas mal, dis-je avec désinvolture.

Puis, incapable de garder ma joie pour moi toute seule, je lui annonce ma bonne nouvelle.

— En fait, ça va très bien. Papa! J'ai réussi! J'ai le rôle de la princesse Aurore!

— Félicitations! fait-il en se penchant pour me donner un gros baiser sur la joue. Je savais que tu réussirais! Je veux que tu me racontes comment ça s'est déroulé. Mais pas ici. On va attendre d'être à la maison pour que tu n'aies pas à te répéter.

Soudain, il range la voiture sur le bord de la rue et arrête le moteur.

— Attends-moi deux minutes. Je vais acheter un gâteau à la pâtisserie. Nous avons quelque chose à célébrer ce soir.

Dès que nous nous engageons dans l'allée de garage, Becca sort de la maison en courant.

— As-tu eu le rôle ? me demande-t-elle, tout excitée.

Maman la suit, avec Jaja dans les bras, tandis que tante Cécile reste sur le pas de la porte.

Becca est ma petite sœur de huit ans et demi. C'est une enfant gentille et intelligente, à l'imagination débordante. Elle adore me voir danser dans des spectacles. Elle aimerait bien danser elle aussi, sauf qu'elle a un trac épouvantable qui l'empêche de monter sur une scène.

Jaja (c'est le diminutif de Jean-Philippe), le bébé de la famille, me tend les bras en affichant un grand sourire.

— Viens ici, mon gros coquin, dis-je en le prenant. Comment te sens-tu dans les bras d'une princesse ?

— Tu as eu le rôle !? s'exclame maman.

— Ouais, dis-je en souriant. Tu as devant toi la princesse Aurore.

Becca pousse des cris de joie et sautille à mes côtés comme si elle voulait que je la prenne aussi.

— Calme-toi, Becca, dit tante Cécile. Nous allons rentrer et nous mettre à table. Les princesses aussi doivent manger.

Tante Cécile n'est pas une personne démonstrative. C'est la sœur aînée de papa, et elle vit avec nous depuis que maman a décidé de retourner au travail. Elle s'occupe de Jaja et de la maison. Au début, ça n'allait pas. Elle était beaucoup trop sévère. Elle nous traitait comme des bébés, Becca et moi. Mais avec le temps, elle a appris à nous faire confiance et nous avons appris à l'apprécier et à l'aimer.

Pendant le repas, je décris le déroulement de l'audition et au dessert, je conte l'histoire de *La Belle au bois dormant*.

— Le ballet reprend l'histoire que vous connaissez tous. Il commence avec le baptême de la princesse Aurore alors que les fées exécutent une danse en présentant leurs cadeaux.

— Puis la vilaine fée fait son apparition, c'est ça, hein? demande Becca.

— Exactement. La fée Carabosse jette un mauvais sort au bébé en prédisant que le jour de son seizième anniversaire, elle se piquera le doigt sur un fuseau et mourra. La bonne Fée des lilas intervient alors. Comme elle ne peut pas conjurer le mauvais sort, elle le modifie en disant que la princesse dormira pendant cent ans au lieu de mourir. Moi, j'entre en scène au deuxième acte, c'est-à-dire le jour de ma fête anniversaire pour célébrer mes seize ans. Quatre princes me présentent des roses et je danse avec eux le «Rose Adagio». C'est une danse magnifique et aussi très difficile. Ensuite, Carabosse, qui s'est déguisée, se faufile parmi les invités et me présente un fuseau. Je me pique le doigt et je sombre dans un profond sommeil. Cent ans plus tard, un prince charmant qui m'a vue en rêve part à ma recherche et lorsqu'il me trouve enfin, il me réveille par un baiser.

— Ouach! fait Becca. Est-ce que tu dois réellement embrasser un garçon?

Ignorant son commentaire, je poursuis mon histoire.

— Après, nous célébrons notre mariage et je danse avec différents personnages, comme l'Oiseau bleu. Puis, à la toute fin du ballet, je danse de nouveau avec le prince.

— Ça semble être un ballet magnifique, dit maman.

— C'est vraiment très beau. Et la musique est de Tchaïkovski, celui-là même qui a composé la musique du *Lac des cygnes*.

Après le souper, comme j'ai été exemptée de la vaisselle, je m'empresse de téléphoner à Marjorie pour lui annoncer cette merveilleuse nouvelle.

Qui est Marjorie ? Je vais vous parler d'elle et de mes autres amies. Marjorie Picard est ma meilleure amie, et nous nous sommes liées d'amitié peu de temps après mon arrivée à Nouville. Marjorie est intelligente et drôle et nous avons beaucoup de plaisir ensemble. Toutes les deux, nous aimons la lecture et nous avons une préférence marquée pour les histoires de chevaux. Marjorie aime aussi écrire et elle espère devenir auteure et illustratrice de livres pour enfants.

Marjorie est facile à vivre et ne se laisse pas déconcerter facilement. C'est probablement parce qu'elle vient d'une famille nombreuse. Et quand je dis nombreuse... Elle a sept frères et sœurs ! À onze ans, elle est l'aînée. Viennent ensuite les triplets, Antoine, Joël et Bernard, dix ans. Après, il y a Vanessa, neuf ans, Nicolas, huit ans, Margot, sept ans, et enfin, Claire, le bébé, qui a cinq ans. Pas besoin de vous dire qu'on ne s'ennuie jamais chez les Picard.

Marjorie a beau être l'aînée de la famille, ses parents la traitent comme une enfant. (Je la comprends !) Il lui a fallu beaucoup de négociation et de persuasion rien que pour avoir la permission de se faire percer les oreilles. Elle fait maintenant campagne en vue d'obtenir des lentilles cornéennes. Je pense que ce n'est pas pour demain. Pauvre Marjorie. Avec sa tignasse rousse, ses lunettes et son appareil orthodontique, elle ne se trouve pas particulièrement séduisante. Mais je suis certaine qu'en vieillissant elle deviendra une vraie beauté. Il faut seulement qu'elle fasse preuve de patience.

Lorsque je suis arrivée à Nouville, je me sentais seule et isolée. Je venais de laisser ma meilleure amie au New Jersey où nous habitions et je me demandais si j'allais jamais en trouver une autre. En fin de compte, j'ai trouvé Marjorie et tout un groupe d'amies. Elles sont très différentes les unes des autres, mais elles ont quelque chose en commun : elles adorent garder des enfants. C'est d'ailleurs pour cette raison qu'elles ont formé le Club des baby-sitters. Marjorie et moi en faisons partie. Nous sommes les plus jeunes membres. Les autres ont treize ans.

Christine Thomas est la présidente du Club. C'est tout un personnage. Elle déborde d'énergie et elle est très directe. Au début, elle m'intimidait un peu. Mais maintenant, je l'admire beaucoup. Elle a toujours des idées brillantes.

La famille de Christine n'est pas exactement une famille moyenne. Premièrement, ses parents ont divorcé il y a plusieurs années. Son père a tout simplement abandonné sa femme et ses quatre enfants, Charles, Sébastien (les frères aînés de Christine), Christine et leur jeune frère David. Madame Thomas a ensuite rencontré Guillaume Marchand, un millionnaire. Ils se sont mariés et la famille habite maintenant dans le manoir de Guillaume, dans le quartier huppé de Nouville.

Mais ça ne s'arrête pas là. Guillaume a deux enfants de son premier mariage : Karen, sept ans, et André, quatre ans, qui viennent passer une fin de semaine sur deux chez leur père. Ils adorent Christine et celle-ci les adore.

Récemment, la mère de Christine et Guillaume ont adopté une petite Vietnamienne de deux ans et demi et l'ont nommée Émilie. C'est une véritable petite poupée. Il y a aussi Nanie, la grand-mère de Christine, qui vit avec la famille pour s'occuper d'Émilie. Il ne faudrait pas oublier Zoé, le chien, et Bou-bou, le chat. Voilà pour Christine. Oh, je ne vous ai pas parlé de son physique. Elle est plutôt petite, et elle a des yeux et des cheveux bruns. C'est un véritable garçon manqué. Elle ne s'intéresse pas à la mode, ni aux garçons, et elle aime jouer au base-ball.

La meilleure amie de Christine est Anne-Marie Lapierre. Physiquement, elles se ressemblent un peu avec leurs yeux et leurs cheveux bruns. Mais la ressemblance s'arrête là. En fait, Anne-Marie est tout le contraire de Christine. Autant celle-ci est directe et sûre d'elle même, autant Anne-Marie est timide, réservée et sensible.

La mère d'Anne-Marie est décédée quand elle était toute petite et c'est son père qui l'a élevée, très sévèrement, à ce qu'on m'a dit. Cependant, il fait preuve de beaucoup plus de souplesse maintenant. Il a même accepté qu'Anne-Marie ait un petit ami. (Il s'appelle Louis Brunet. Mais malheureusement, c'est fini entre eux.)

Monsieur Lapierre est peut-être plus indulgent depuis qu'il s'est remarié. Imaginez-vous qu'il a rencontré la fille avec qui il sortait pendant son cours secondaire. Ils ont donc recommencé à se fréquenter et ils se sont mariés. Le plus intéressant dans cette histoire, c'est que cette ancienne petite amie est la mère de Diane Dubreuil, une autre membre du Club des baby-sitters!

En plus d'être devenue la demi-sœur d'Anne-Marie, Diane est aussi sa meilleure amie. (Eh oui, Anne-Marie a deux grandes amies.) La mère de Diane a grandi à Nouville. Elle est allée étudier en Californie où elle s'est mariée et a eu deux enfants, Diane et Julien. Après avoir divorcé, elle est revenue vivre à Nouville. Malheureusement, Julien, le frère de Diane, n'arrivait pas à s'adapter ici et il est retourné vivre en Californie avec son père. La famille de Diane se trouve donc divisée en deux. Malgré sa peine, Diane s'accommode bien de la situation.

Diane est superbe. Elle a de très longs cheveux blonds, presque blancs, et elle possède un style bien personnel. Elle porte toujours des vêtements décontractés aux couleurs vives. On reconnaît tout de suite ses racines californiennes. C'est une individualiste. Elle adore le soleil et la mer et ne mange que des aliments naturels. Tout le contraire de Claudia.

Claudia Kishi, la vice-présidente du Club, est la reine de la camelote alimentaire. Claudia est sans doute la seule personne qui puisse manger autant de friandises et de gâteau sans que ça influence son tour de taille et sa peau. Elle a le sens du style très poussé, probablement parce que c'est une artiste-née.

D'origine japonaise, Claudia est très exotique. Elle a de longs cheveux noirs soyeux et des yeux en amande. Elle vit avec son père, sa mère et sa sœur Josée, le génie de la famille. Sa grand-mère, qui demeurait avec eux, est morte il n'y a pas longtemps et Claudia a eu énormément de chagrin. Elles étaient très proches l'une de l'autre.

Contrairement à sa sœur, Claudia ne réussit pas très bien à l'école. Ce n'est pas parce qu'elle n'est pas intelligente. Elle préfère la peinture et la sculpture à l'étude. Elle aime aussi lire des romans policiers tout en grignotant des biscuits ou du chocolat. Cependant, comme ses parents désapprouvent ses lectures et ses fantaisies alimentaires, elle cache ses livres et ses friandises un peu partout dans sa chambre.

Toutefois, les parents de Claudia ne sont pas sévères à tous les égards. En effet, côté vestimentaire, elle n'a aucune restriction… ce qui n'est pas notre cas, à Marjorie et à moi ! Je pense qu'ils considèrent ses goûts vestimentaires comme une expression de ses talents artistiques.

Sophie Ménard s'habille aussi avec beaucoup de flair. Je crois que c'est l'une des raisons pour lesquelles elle et Claudia sont devenues de grandes amies. Si Sophie est aussi sophistiquée, c'est sans doute parce qu'elle vient de Toronto, une grande ville où il y a beaucoup d'action. Cependant, Sophie aime bien Nouville. Elle est arrivée ici quand son père a été muté par la compagnie pour laquelle il travaille. Puis après un an, il a été muté de nouveau à Toronto. Les membres du Club étaient certaines d'avoir perdu Sophie pour toujours. Mais les parents de Sophie ont divorcé et celle-ci est revenue vivre à Nouville, avec sa mère.

Sophie est un jolie blonde et, comme je l'ai déjà dit, elle fait concurrence à Claudia en matière de vêtements. Il y a autre chose à mentionner au sujet de Sophie. Elle est diabétique. Cela signifie qu'elle ne doit pas trop se fatiguer, qu'elle doit suivre sa diète à la lettre et se donner des injections d'insuline quotidiennement. Malgré tout, sa maladie ne l'empêche pas de vivre une vie normale et elle est toujours de bonne humeur.

Quant à moi, je suis d'excellente humeur ce soir. C'est toujours ainsi lorsqu'on vient d'apprendre qu'on a décroché un grand rôle. En allant téléphoner à Marjorie, je passe devant le miroir de l'entrée et je me fais un grand sourire.

— Salut, Aurore ! Quoi de neuf ?

CHAPITRE 3

— J'adore tes jambières, Élise, dit Karine. Elles sont neuves?

Nous sommes au vestiaire en train de nous préparer pour la première répétition de *La Belle au bois dormant*. Je suis toujours aussi excitée d'avoir été choisie pour jouer le rôle principal, mais je me garde d'en parler. Même si la plupart de mes compagnes sont probablement heureuses pour moi, personne n'apprécie une première ballerine trop jubilante.

— Elles sont absolument superbes, Élise, ajouté-je. Où les as-tu prises?

— Ma mère les a achetées chez Rossetti, à Montréal. Elle me les a offertes hier. Elles sont lilas parce que je joue la Fée des lilas.

Élise semble contente de son rôle et je suis heureuse pour elle. Même si je suis transportée de joie à l'idée de jouer le rôle principal, il m'arrive parfois de me sentir un peu coupable. En effet, si j'ai obtenu le rôle, cela signifie que d'autres ont été privées de cette joie.

Déposant mon sac sur le banc, je m'empresse de me changer. Au vestiaire, c'est toujours la course. Toutes savent que madame Noëlle nous attend dans le studio et qu'elle n'est pas patiente. Et lorsqu'elle est contrariée, c'est nous qui en subissons les conséquences.

J'enfile mon collant et mon maillot en trois secondes. Je mettrai mes pointes dans le studio en écoutant les directives de madame Noëlle. Tâtonnant le fond de mon sac, je cherche mes chaussons.

Ils ne sont pas là !

Je regarde dans mon sac. Rien. Comprenez que je danse depuis sept ans et que ça fait au moins quatre ans que je prépare moi-même mon sac. Et je n'ai jamais, *jamais* oublié quoi que ce soit.

— Mesdemoiselles ! lance madame Noëlle au bout du corridor. Avez-vous l'intention de danser aujourd'hui ?

Prise de panique, je regarde une fois de plus dans mon sac et je le retourne même à l'envers sur le banc. Naturellement, il ne reste plus rien dedans. Je sais que mes chaussons y étaient. Je me souviens de les avoir mis dans mon sac, hier soir.

Autour de moi, des vêtements sont éparpillés un peu partout sur les bancs et par terre, mais nulle trace de mes chaussons à pointes. Qu'est-ce que je vais faire ?

Tout le monde sort du vestiaire en courant, et moi, je ne suis pas encore prête ! En passant devant mon casier, Marie remarque mon air affolé.

— Que se passe-t-il, Jessie ?

Lorsque je lui dis que mes pointes ont disparu, ses yeux deviennent ronds comme des soucoupes. Elle sait que c'est très grave.

— Je te passerais bien mon autre paire, mais je l'ai laissée à la maison.

— Je te remercie. Mais de toute façon, je ne pourrais pas danser avec les chaussons de quelqu'un d'autre.

Voyez-vous, les chaussons à pointes sont propres à chaque danseuse. Et chacune a sa façon à elle d'en prendre soin. Il faut d'abord « casser » ses chaussons (moi, j'ai l'habitude de les frapper contre la rampe d'escalier à la maison), y coudre des rubans et remplir les pointes avec de la laine d'agneau. Les chaussons finissent par se mouler à notre pied et à notre pied seulement.

Naturellement, j'ai une paire de chaussons à pointes de rechange, mais devinez où ils sont. Eh oui, à la maison.

La voix de madame Noëlle me parvient du studio. Elle prend les présences. Dans trois secondes, elle va s'apercevoir de mon absence. Je n'ai pas le choix, il faut que j'y aille nu-pieds. Prenant une grande inspiration, je jette un dernier regard dans le vestiaire. Toujours pas de pointes. Je fixe mes pieds nus. Quelle humiliation. Madame Noëlle ne sera pas contente du tout.

Malgré mes efforts pour passer inaperçue, tout le monde, y compris madame Noëlle, se retourne lorsque j'entre dans le studio.

— Ha, fait madame Noëlle, la princesse Aurore a daigné se joindre à nous. Si Sa Majesté veut bien prendre place, ironise-t-elle en désignant un endroit précis devant elle.

C'est alors qu'elle aperçoit mes pieds.

— Mais, où sont vos pointes, mademoiselle Raymond? demande-t-elle en levant les sourcils.

— Je... je ne sais pas, dis-je, rouge de honte. Je les ai

mises dans mon sac hier soir, mais je ne les trouve plus.

— Vous ne pouvez pas répéter sans vos chaussons ! Et nous ne pouvons pas répéter sans vous ! Il faut chercher encore. Ils sont peut-être cachés sous une pile de vêtements. Venez ! dit-elle en faisant signe au reste de la classe de la suivre.

Nous retournons donc au vestiaire où nous fouillons chaque centimètre carré. Debout dans l'embrasure de la porte, madame Noëlle surveille l'opération d'un air de profond dégoût.

— Peut-être que si vous étiez plus ordonnées, mesdemoiselles, cela ne se produirait pas.

Les larmes me montent au yeux. Ce n'est pas juste ! C'est vrai que les affaires de tout le monde traînent partout dans la pièce. Mais je suis une personne ordonnée et mes choses sont normalement rangées dans mon casier. Mes compagnes ont fini de fouiller les piles de vêtements et me dévisagent. Une fois de plus, je scrute l'intérieur de mon sac. Rien.

— Je suis désolée, dis-je en regardant madame Noëlle. Je ne les trouve pas.

Elle me jette un œil désapprobateur et nous fait signe de la suivre. Une fois dans le studio, nous nous préparons à faire les exercices d'assouplissement à la barre. Madame Noëlle met de la musique et nous fait faire des *pliés relevés sur pointes* pendant quelques minutes.

Je sens son regard sur moi quand j'exécute les *relevés* (cela consiste à se dresser sur les pointes). Toutes les autres font vraiment des pointes alors que le mieux que je puisse faire, ce sont des demi-pointes. La bouche serrée, elle secoue la tête.

— Ça ne peut pas fonctionner! dit-elle soudain. Si mademoiselle Raymond ne peut pas s'entraîner en pointes, il n'y a aucune raison de répéter aujourd'hui. Après tout, c'est la princesse Aurore et nous ne pouvons pas faire grand-chose sans elle. La répétition est annulée! ajoute-t-elle en arrêtant la musique.

Je suis sidérée. C'est pire que je ne l'avais imaginé. Des exclamations et des grognements fusent de toutes parts. Je sais ce que ressentent mes compagnes. On manque un seul jour de danse et toute notre routine s'en trouve perturbée. Sans compter que nous ne pouvons nous permettre de manquer une répétition. Le jour du spectacle n'est pas si loin.

— Il n'y a vraiment aucun moyen de répéter? demande Élise.

— Et si on retournait au vestiaire? propose Stéphanie. Si Jessie affirme qu'elle a apporté ses pointes, elles doivent forcément être quelque part.

— Bon, très bien, consent madame Noëlle sans trop d'enthousiasme. Mais si on ne les trouve pas, la répétition est annulée.

Je déteste qu'elle soit en colère contre moi. Nous retournons donc au vestiaire et cette fois, c'est moi qui ferme la marche. Ces nouvelles recherches ne donneront rien. Au moment même où j'entre dans le vestiaire, j'entends Marie-Claude s'exclamer.

— Hé! Les voilà! crie-t-elle en brandissant une paire de chaussons à pointes. Ils étaient dans ton sac pendant tout ce temps, Jessie!

Je me précipite sur elle et, sans même la remercier, je lui arrache mes chaussons des mains. Malgré ma joie et mon soulagement, je sais que Marie-Claude se trompe.

Mes chaussons à pointes n'étaient certainement *pas* dans mon sac pendant tout ce temps. Il n'y a absolument aucun doute là-dessus.

— Très bien, Marie-Claude, fait madame Noëlle. Maintenant que le mystère a été résolu, nous allons enfin pouvoir répéter.

De retour au studio, la répétition commence pour vrai.

Tout en parlant, madame Noëlle fait une démonstration des pas que nous devons répéter, sans les exécuter au complet. J'adore la regarder faire, car voyez-vous, toutes ses années de danse se reflètent dans chacun de ses mouvements. C'est la grâce incarnée. Je me demande si j'arriverai un jour à une telle perfection.

Pour l'instant, le ballet me demande énormément de travail. Les mouvements que j'exécute sans avoir à y penser sont des mouvements que je répète quotidiennement depuis sept ans. Et tous les nouveaux pas que j'apprends reposent sur cette base.

J'ai beau essayer de me concentrer sur les nouveaux pas que nous enseigne madame Noëlle, je n'arrête pas de penser à cette affaire de chaussons perdus et retrouvés. Manifestement, madame Noëlle ne l'a pas oubliée non plus, car elle est très impatiente à mon égard. Et comme je suis distraite, elle doit répéter les directives, ce qui n'aide pas.

— Étirez votre cou, mademoiselle Raymond ! Vous n'interprétez pas le rôle d'un bossu. Vous êtes une princesse. Agissez en conséquence.

Étirant mon cou, je trébuche au beau milieu d'une *glissade*. Comme j'ai perdu le rythme, madame Noëlle arrête la musique et la reprend depuis le début.

— Et… trois ! dit-elle en me regardant. N'oubliez pas mesdemoiselles, de la grâce. De la grâce dans tous vos mouvements !

En fin de compte, je réussis à me concentrer et, oubliant le temps, mes chaussons perdus, le mécontentement de madame Noëlle, je n'entends plus que la musique et je ne pense plus qu'à mes figures de danse.

— Bon, c'est terminé pour aujourd'hui, annonce madame en frappant dans ses mains. Nous ferons mieux la prochaine fois, n'est-ce pas, mesdemoiselles ?

Alors que nos regards se croisent, je lui fais signe que oui. Elle m'adresse un petit sourire. Je crois qu'elle me pardonne.

Soulagée que la répétition soit terminée, je retourne au vestiaire en me disant que ça pourrait difficilement aller plus mal la prochaine fois. Je me change, et en prenant mes baskets, je remarque que quelque chose est coincé dans les lacets. Qu'est-ce que c'est ? Tiens, un billet. Je le déplie et… voilà ce qui est écrit : ATTENTION !

C'est tout, rien de plus. ATTENTION ! Mais qu'est-ce que ça veut dire ? Attention à quoi ? Attention à qui ? Étrange. Trop épuisée pour m'interroger là-dessus, je fourre le billet dans mon sac et je m'en vais.

CHAPITRE 4

Lorsque j'arrive chez Claudia pour notre réunion du Club des baby-sitters, je suis encore troublée. Cependant, j'essaie de ne pas le laisser voir et je prends ma place habituelle, à côté de Marjorie.

Je crois que j'ai oublié de mentionner que le Club se réunit toujours dans la chambre de Claudia. La raison, c'est que Claudia, notre vice-présidente, possède sa propre ligne téléphonique. Ainsi, nous n'accaparons pas la ligne de nos parents pendant les réunions. Laissez-moi vous expliquer le fonctionnement du Club. C'est Christine qui a eu l'idée de le fonder. Un après-midi, alors que la mère de Christine n'était pas encore remariée avec Guillaume Marchand, elle cherchait une gardienne pour David. Normalement, Christine ou ses frères aînés auraient gardé, mais ce jour-là, ils avaient tous d'autres occupations. Madame Thomas a donc perdu un temps fou au téléphone sans pour autant trouver de gardienne.

C'est alors que Christine a eu un éclair de génie. Et si les parents pouvaient rejoindre toute une équipe de gar-

diennes en ne composant qu'un seul numéro de téléphone ! Christine a fait part de son idée à ses deux amies,
Anne-Marie et Claudia, et elles ont fondé le Club des
baby-sitters. Considérant qu'elles n'étaient pas assez
nombreuses, Claudia a recruté Sophie, sa nouvelle amie.
Elles ont été quatre jusqu'à ce que Diane arrive à
Nouville et se lie d'amitié avec Anne-Marie. Comme
Diane avait déjà gardé en Californie, les filles l'ont invitée à se joindre à elles.

Marjorie et moi sommes devenues membre lorsque
Sophie est retournée vivre à Toronto, avant le divorce de
ses parents. Le Club compte maintenant sept membres. Je
crois que c'est suffisant, car la chambre de Claudia pourrait difficilement accueillir une personne de plus.

Nous nous réunissons les lundis, mercredis et vendre-
dis, de dix-sept heures trente à dix-huit heures. Les clients
nous téléphonent pendant ces réunions pour réserver nos
services.

Christine est la présidente du Club, un rôle qu'elle
prend très au sérieux. Elle s'assoit toujours dans le fau-
teuil de Claudia, avec une visière sur le front et un crayon
sur l'oreille. Elle dirige les réunions et nous demande parfois si nous avons lu le journal de bord.

Qu'est-ce que le journal de bord ? C'est un cahier dans
lequel nous relatons chacune de nos gardes, c'est-à-dire
comment ça s'est déroulé, qui était là, etc. Même si la
tâche d'écrire dans le journal et de le lire peut paraître fas-
tidieuse, c'est une bonne chose. Ainsi, on se tient au courant de ce qui se passe chez nos clients. Naturellement,
c'est Christine qui a eu cette idée.

Chaque fois que le téléphone sonne, l'une de nous

34

prend les renseignements et dit au client que nous allons le rappeler quelques minutes plus tard. Ensuite, Anne-Marie, la secrétaire du Club, vérifie les disponibilités de chacune dans l'agenda.

Dans cet agenda, Anne-Marie consigne tous nos horaires : les cours d'arts plastiques de Claudia, mes cours de danse, les rendez-vous de Marjorie chez l'orthodontiste, et ainsi de suite. Lorsqu'il y a un appel, un coup d'œil rapide lui permet de savoir lesquelles d'entre nous sont disponibles. L'agenda contient également les coordonnées de nos clients, de même que des renseignements divers sur les enfants que nous gardons. Par exemple, leur âge, leurs allergies, les petits caprices et les bizarreries d'un tel ou d'une telle.

Une fois qu'Anne-Marie a déterminé les disponibilités, nous attribuons l'engagement à celle qui veut le prendre. Et voilà !

Oh, j'allais oublier la petite caisse. C'est Sophie, la trésorière, qui en est responsable. L'argent de la petite caisse provient des cotisations que Sophie perçoit tous les lundis. Cet argent sert à payer Charles qui sert de chauffeur à Christine depuis qu'elle habite à l'autre bout de la ville. De temps à autre, on se paye aussi des gâteries, comme de la pizza ou des friandises. Avec l'argent de la petite caisse, on achète aussi des fournitures pour les trousses à surprises. C'est encore Christine qui a eu l'idée de ces trousses. Il s'agit de boîtes que nous avons décorées et remplies de vieux jouets nous ayant appartenu, de livres, de crayons et de cahiers d'activités. Les enfants raffolent des trousses à surprises et celles-ci sont particulièrement utiles les jours de pluie.

Maintenant que vous savez ce que font Christine, Claudia, Anne-Marie et Sophie, vous vous demandez peut-être quelles sont nos fonctions, à Diane, Marjorie et moi. Diane est membre suppléante. Cela signifie qu'elle assume les fonctions de l'une ou l'autre du groupe qui ne peut assister à la réunion.

Marjorie et moi, nous sommes des membres juniors.

Traduction : nous sommes trop jeunes pour garder le soir (sauf nos frères et sœurs) et nous ne pouvons accepter que les gardes d'après-midi.

Il y a deux autres membres dont je ne vous ai pas parlé. Il s'agit de membres associés qui n'assistent pas aux réunions. Cependant, ils nous dépannent en acceptant des engagements lorsque nous sommes débordées. Il y a Louis Brunet, l'ex-petit ami d'Anne-Marie. (Bien qu'ils ne sortent plus ensemble, ils sont restés bons amis. Louis est beau comme un cœur et il est originaire du Nouveau-Brunswick.) L'autre membre associé est Chantal Chrétien, une fille qui habite le même quartier que Christine. Je ne la connais pas beaucoup, mais elle semble gentille.

— À l'ordre ! annonce Christine à dix-sept heures trente pile.

À peine a-t-elle prononcé ces paroles que le téléphone se met à sonner.

— Club des baby-sitters, bonjour ! répond Christine. Bien sûr, madame Seguin. Je vous rappelle dans une minute.

En raccrochant, Christine nous annonce que madame Seguin a besoin d'une gardienne pour Laura.

— On ne garde pas Myriam et Gabrielle ? demande Marjorie.

— Non. Les Seguin les emmène voir un spectacle.

Le téléphone ne dérougit pas et nous sommes occupées pendant plusieurs minutes. Finalement, nous avons un petit moment de répit et j'en profite pour parler de ma désastreuse répétition.

— Oh, Jessie! s'exclame Marjorie. Tu as dû mourir de honte lorsque tu t'es présentée pieds nus devant madame Noëlle.

— Oui, mais le pire, c'est que madame Noëlle était en colère contre moi.

— Ce qu'elle pense de toi t'importe vraiment, n'est-ce pas? me demande Anne-Marie.

— Je sais ce que c'est, déclare Claudia. C'est comme lorsque je ne réussis pas à terminer un projet en arts plastiques. Je déteste décevoir mon prof.

— Mais tout est rentré dans l'ordre, hein? demande Diane. Tu as fini par retrouver tes pointes. Toutefois, ce billet me semble plutôt louche.

Je pense comme elle, même si le billet ne m'inquiète pas outre mesure.

— En fait, ça me répugne d'entreprendre une nouvelle production avec une répétition comme celle-là, dis-je.

C'est réconfortant d'avoir des amies qui vous supportent lorsque vous vous sentez comme la dernière des dernières. Je remarque toutefois que Christine ne fait aucun commentaire. Peut-être que mes histoires de ballet ne l'intéressent pas.

— Bah, c'est du passé, maintenant, dis-je pour changer de sujet.

Je ne veux pas que Christine s'impatiente de me voir monopoliser le temps de la réunion avec mes problèmes personnels.

— Tu as raison, Jessie. Je suis certaine que la prochaine répétition sera mieux, s'empresse de dire Christine. Maintenant, écoutez les filles. J'ai une idée !

Tout le monde se met à grogner pour taquiner Christine. Comment fait-elle pour avoir autant de bonnes idées ? Je comprends maintenant pourquoi elle n'était pas intéressée par mon histoire ; elle attendait impatiemment de nous faire part de son idée.

— Ces derniers temps, nous n'avons rien fait de spécial avec les enfants que nous gardons. Il n'y a pas eu de fête, de foire, ni de chose du genre depuis longtemps.

— C'est vrai, répond Diane. Mais que pourrions-nous faire de nouveau et d'original ?

— Eh bien, j'ai pensé organiser… un concours d'animaux ! lance Christine en souriant. Je me souviens que Bozo avait déjà participé à une exposition canine, un jour. (Bozo était le colley des Thomas. Malheureusement, il est mort avant mon arrivée à Nouville.) L'exposition se tenait devant la bibliothèque et Bozo avait gagné le deuxième prix. J'étais tellement fière de lui.

L'idée de Christine suscite l'enthousiasme général.

— Les enfants vont adorer ça, déclare Marjorie. Ils auront ainsi l'occasion de se réunir et de faire connaître leurs animaux. Mais où allons-nous faire ça ? Il faudra beaucoup d'espace.

— J'ai pensé qu'on pourrait utiliser la cour de Diane et d'Anne-Marie, répond Christine. Le terrain est très grand et leur maison est à proximité de celles de la plupart des enfants.

— Super ! fait Diane. Je suis certaine que maman sera d'accord.

38

— Comment allons-nous procéder pour annoncer cet événement ? demande Sophie. Ça exige de nombreux préparatifs.

— Je me charge des invitations, offre Claudia. Nous en enverrons à tous nos clients pour leur indiquer la date et l'endroit. Il faudrait prévoir quelques semaines pour laisser aux enfants le temps de se préparer.

— Il faudra aussi prévoir des rubans, pour les prix, des rafraîchissements et d'autres choses du genre, fait remarquer Anne-Marie.

L'idée de Christine commence à prendre forme, et nous passons le reste de la réunion à planifier ce concours d'animaux. Je suis tellement prise par toute cette affaire que j'en oublie presque ma terrible répétition. Je dis bien presque.

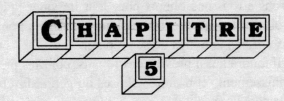

CHAPITRE 5

Lors de la deuxième répétition de *La belle au bois dormant*, la princesse Aurore arrive bien préparée. J'ai presque envie de rire en déballant mes affaires. Non seulement ai-je apporté ma deuxième paire de pointes, mais j'ai aussi un deuxième ensemble de ballet.

Deux paires de collants roses, deux maillots noirs, deux élastiques pour mes cheveux, deux paires de jambières et deux vieux cotons ouatés pour les échauffements. Je ne prends aucun risque.

Je me change sans quitter mes affaires des yeux. Lorsque je vais me regarder dans la glace, à l'autre bout du vestiaire, je me retourne sans cesse pour être bien certaine que personne ne s'approche de mon sac. J'ai probablement l'air paranoïaque, mais je m'en fous.

— Tu viens, Jessie ? me demande Marie-Claude. Je vois que tu n'as pas oublié tes pointes, aujourd'hui.

— À titre d'information, dis-je en grinçant des dents, tu sauras que je ne les avais pas oubliées la dernière fois.

— Bien sûr, Jessie, fait Marie-Claude. Puisque tu le dis.

Sur ce, elle se met à courir et je la regarde comme si je voulais la faire disparaître.

Dans le studio, madame Noëlle nous salue, puis nous prenons place à la barre pour exécuter les exercices d'assouplissement que nous connaissons toutes par cœur. Parfois, il m'arrive de me demander combien de *pliés* j'ai pu faire au cours des ans. On est loin des cours de débutants où il y avait beaucoup de rires et moins de technique. Cependant, j'aime travailler fort. Et même si les premières années étaient faciles, je préfère les cours plus sérieux. Je suis heureuse de constater que tous ces exercices répétitifs ont porté fruit et que ça en vaut la peine. En effet, lorsque je danse ou que j'exécute un pas particulièrement compliqué, j'ai l'impression de faire partie d'un autre monde.

Une fois les exercices d'échauffement terminés, madame Noëlle change le disque. Bientôt, la merveilleuse musique de Tchaïkovski résonne dans la pièce. Devant nous, madame Noëlle travaille les pas qu'elle est sur le point de nous enseigner. Elle fait des gestes gracieux avec ses mains tout en murmurant des mots comme *glissade* et *pique*.

En attendant qu'elle soit prête, je vérifie ma posture dans le miroir qui recouvre l'un des murs du studio. C'est bon, mais ce n'est pas parfait. Redresse la tête et rentre le ventre, Jessie. Voilà, c'est mieux. N'allez pas croire que je suis vaniteuse. Toutes les ballerines vérifient constamment leur posture, car c'est très important.

— Mademoiselle Raymond, mademoiselle St-Onge et mademoiselle Martin, votre attention s'il vous plaît.

J'écoute attentivement les directives de madame

Noëlle. Je ne veux surtout pas lui demander de reprendre les mêmes pas plus d'une fois.

Elle nous explique rapidement l'enchaînement et nous suivons sans faire les pas au complet. Au moment d'exécuter la dernière *arabesque*, Karine perd l'équilibre et me heurte violemment avant de tomber par terre.

— Jessie, espèce d'empotée ! s'écrie-t-elle.

Moi ! Non, mais je n'ai rien à voir avec sa chute. C'est elle l'empotée ! Ouvrant la bouche pour me défendre, je croise le regard sévère de madame Noëlle, et je renonce aussitôt. Elle n'a manifestement pas oublié l'incident des pointes et je pense que j'ai intérêt à ne pas me faire remarquer.

Au lieu de me défendre, j'aide plurôt Karine à se relever. Me remercie-t-elle ? Je vous laisse deviner.

— On reprend, mesdemoiselles, dit madame Noëlle sans plus attendre. Et trois…

Nous reprenons l'enchaînement et je commence à peine à retrouver ma concentration quand Karine me pousse de nouveau en terminant son *arabesque*. Cette fois-ci, elle ne tombe pas, mais la bousculade est assez forte pour attirer l'attention de madame Noëlle. Celle-ci me regarde en fronçant les sourcils.

— Mais je n'ai… dis-je.

Puis je m'interrompts. Je me conduis comme un bébé. Ce genre d'excuse n'a pas sa place ici. Si Karine et madame Noëlle veulent me jeter le blâme, ça ne vaut pas la peine de me défendre. Je paraîtrai deux fois plus coupable.

Il vaut mieux employer toute mon énergie à mémoriser les pas enseignés et faire en sorte de rester éloignée de Karine St-Onge. Ce n'est pas facile, mais je finis par y arriver.

Le reste de la répétition se déroule sans autre incident. Lorsque nous quittons la classe, madame Noëlle m'adresse un sourire approbateur. Elle a sans doute constaté que j'ai travaillé très fort.

Au vestiaire, je m'effondre littéralement sur le banc en sortant mon sac de mon casier. Je suis épuisée. Mais c'est une bonne fatigue. Je suis satisfaite de ce que j'ai accompli aujourd'hui.

En retirant mes jeans, ma blouse et mes baskets de mon sac, je m'aperçois qu'il est moins rempli qu'à l'arrivée. Ma tenue de rechange a disparu ! Mes collants, mon maillot, mes jambières et même mes pointes !

— Oh mon Dieu ! soufflé-je.

Mine de rien, je regarde autour de moi pour voir si on observe ma réaction. Mais non. Toutes sont occupées à se changer. Qu'est-ce que je vais faire ? Il y a une voleuse parmi nous, c'est évident. Je ne l'attraperai certainement pas ce soir ; je suis trop à bout. J'enfile mes vêtements et lorsque je me penche pour lacer mes chaussures, j'aperçois un autre billet coincé entre les lacets de mon soulier gauche. Cette fois, la note est écrite à l'encre rouge sang : GARE À TOI ! Le message me donne la chair de poule. Quelqu'un m'en veut. Mais pour quelle raison ?

Je sors du vestiaire aussi rapidement que possible. Mon père me prend en voiture et c'est à peine si je lui adresse la parole pendant le trajet jusqu'à la maison. Heureusement, sentant probablement que je ne suis pas dans mon assiette, papa respecte mon silence.

Lorsque nous arrivons à la maison, je m'efforce d'oublier les événements de la journée. Je ne veux pas penser au message, ni à sa signification.

Heureusement, Becca a d'autres préoccupations que *La belle au bois dormant*. En me voyant, elle se précipite sur moi en agitant un bout de papier.

— Pourquoi tu ne me l'as pas dit? crie-t-elle d'un ton joyeux. Comment tu as fait pour garder un tel secret?

— Te dire quoi? demandé-je, éberluée. Quel secret?

— Le concours d'animaux! glapit Becca. Ça va être super!

J'avais complètement oublié ça.

— Montre-moi l'invitation, dis-je.

C'est écrit en grosses lettres rouges: À TOUS LES ENFANTS! Des animaux de toutes sortes, chiens, chats, singes et autres, sont accrochés à chacune des lettres. Claudia a un talent fou.

Si c'est écrit «à tous les enfants», c'est parce que nous avons décidé d'inviter tous nos clients sans exception. Ainsi, un petit comme Jonathan Mainville, qui n'a pas d'animal, peut tout de même venir au concours et s'amuser.

L'invitation indique également la date, l'heure et le lieu du concours. Sur la dernière ligne, on peut lire: «Amène ton poisson rouge! Amène ton poney! Amène n'importe quel animal!»

— C'était dans le courrier, à mon nom, Jessie! crie Becca, au comble de la joie. Je suis invitée! Je suis invitée!

— C'est fantastique, Becca, dis-je. Ce concours d'animaux sera vraiment amusant.

Elle hoche la tête. Mais soudain, son visage s'assombrit.

— Mais on n'a pas de poney! On n'a même pas de chien! On n'a que Agathe! dit-elle, inquiète.

— Agathe est un animal, dis-je. Elle est douce et propre. Elle comprend son nom, et…

— Mais Agathe n'est qu'un hamster, proteste Becca. Elle n'a aucune chance de remporter un prix !

Mentalement, j'énumère les autres animaux qui seront probablement inscrits. Pour autant que je sache, personne ne possède de poney. Toutefois, il y a beaucoup de chiens et de chats dans le quartier. Il est vrai que les chances de gagner pour un petit hamster sont plutôt minces. Becca n'a pas tort.

— Tu sais, Becca, gagner n'est pas important. Ce qui compte, c'est de participer au concours et de t'amuser, dis-je, fière de pouvoir lui tenir un discours d'adulte raisonnable.

— J'aimerais bien mieux avoir un chien, dit Becca, incapable de retenir la larme qui coule sur sa joue. Je pourrais lui donner un bain, lui mettre un ruban autour du cou et lui montrer toutes sortes de trucs. Il gagnerait certainement un prix. Agathe est stupide. Elle ne fait rien d'autre que remuer son nez.

— Allons, Becca. Tu l'aimes, Agathe, même si tu la trouves stupide. Rappelle-toi combien tu étais excitée quand nous l'avons eue.

Agathe est née pendant l'un des engagements les plus bizarres que j'aie eus avec le Club des baby-sitters. Voyez-vous, j'ai gardé les animaux de monsieur et madame Mancusi pendant leurs vacances. Ils ont trois chiens, cinq chats, des oiseaux, deux cochons d'Inde, des poissons, un serpent(!!), des lapins, des tortues et des hamsters. Or, l'un des hamsters a profité de l'absence de ses maîtres pour donner naissance à toute une petite famille de petits hamsters. Heureux de la façon dont je m'étais occupée de la situation, les Mancusi m'ont offert un des hamsters.

Les Picard en ont eu un aussi, ainsi que Jérôme Robitaille, un des enfants que nous gardons. Becca était au septième ciel quand nous avons eu Agathe. Mais celle-ci ne semble plus procurer autant de joie à ma petite sœur. J'ai beau m'évertuer à lui expliquer que l'important ce n'est pas de gagner un prix, Becca ne veut rien entendre. Cette idée de concours d'animaux domestiques n'est peut-être pas si géniale, après tout.

CHAPITRE 6

Samedi

C'est de la folie furieuse ! Je
n'aurais jamais cru que le concours
d'animaux susciterait autant
d'excitation chez les enfants !
Et vous savez quoi ? Ça ne me fait
pas plaisir de l'admettre, mais je
ne suis pas certaine que ce concours
soit l'idée la plus géniale que
j'aie eue. Il y a déjà beaucoup
de compétition dans l'air.

Christine doit vraiment se sentir dépassée pour admettre que son idée n'est pas absolument géniale.

Ce samedi, elle garde David, Émilie, Karen et André. Disons qu'elle en a plein les bras.

Il fait beau et tous sont dehors, sur la galerie arrière. David est suspendu à la balustrade et agace Karen en faisant des rots tandis que cette dernière lui crie d'arrêter. Émilie s'amuse avec un gros camion Tonka et André est absorbé dans l'observation d'une fourmi. Devinez de quoi bavarde tout ce petit monde, à part Émilie, bien sûr, qui ne parle pas encore.

— Je me demande qui va gagner le deuxième prix, dit David. Un des chats, peut-être.

— Qu'est-ce que tu veux dire par là? demande Karen. Et le premier prix, alors?

— Je ne m'en fais pas pour le premier prix, répond David. Je sais que Zoé va gagner. (Zoé est un berger de Berne qui deviendra un jour aussi grosse qu'un saint-bernard.) Je me demande où je vais accrocher le ruban bleu dans ma chambre.

— Qu'est-ce qui te fait dire que Zoé va remporter le premier prix, David? demande Christine.

— Eh bien, ce sera le plus gros animal du concours. Et en plus, c'est elle qui a la meilleure personnalité. Vrai?

Christine peut difficilement contredire son frère. Zoé est effectivement très attachante, en plus d'être futée et fidèle.

— Et c'est le plus beau chien de la province! ajoute David.

— On verra, se contente de dire Christine.

Elle commence à penser que ça paraîtrait plutôt mal si

le chien appartenant à sa famille gagnait le premier prix d'un concours qu'elle organise elle-même.

— Moi, je ne trouve pas Zoé si extraordinaire que ça, intervient André. Minni est encore plus mignon et plus intelligent. C'est lui qui va gagner.

Minni est un petit chien bâtard qui appartient à Robert, le beau-père d'André. C'est vrai qu'il est mignon et malin, mais il n'en reste pas moins que c'est un bâtard.

— Est-ce que Robert t'a donné la permission d'inscrire Minni ? demande Christine.

— Ouais, fait André, tout fier. Je vais lui donner un bain et lui mettre une boucle sur la tête. Il va être super beau !

— Si tu lui mets une boucle sur la tête, il aura l'air de la mauviette qu'il est, décrète Karen.

— Une mauviette ? s'indigne André.

— Oui. Minni n'est qu'une mauviette, répète Karen. Il a peur de son ombre. Il n'a aucune chance de gagner quoi que ce soit, à moins que tu lui enseignes des trucs. Et il ne reste pas assez de temps avant le concours.

Le pauvre André a l'air tellement décontenancé que Christine le serre dans ses bras.

— Ne t'en fais pas, André. Minni est un gentil petit chien et je suis certaine que tu auras du plaisir à le faire participer au concours. Après tout, participer et s'amuser, c'est ce qui compte, n'est-ce pas ?

Il me semble que j'ai déjà entendu ces paroles quelque part !! Malheureusement, ces propos raisonnables n'ont aucun effet sur les enfants.

— Eh bien moi, je vais m'amuser, déclare Karen, parce que je suis certaine que mon animal va gagner le premier prix.

— Et quel animal vas-tu inscrire ? demande Christine en roulant les yeux.

— Je ne le sais pas encore. Je n'arrive pas à me décider entre Roc et Émilie junior.

Roc est le chat de Robert et Émilie junior est... un rat !

— Roc a une drôle de fourrure, songe Karen à haute voix. Je devrais peut-être le déguiser.

Christine essaie de ne pas rire en imaginant le pauvre chat affublé des vêtements de « grande dame » de Karen : des souliers à talons hauts, un grand chapeau ou peut-être même un voile de mariée.

— Mais si j'inscris Émilie junior, je devrai lui donner un bain et je ne suis pas sûre qu'il aimerait ça, ajoute Karen.

— Personne ne veut inscrire Bou-bou ? demande soudain David.

À ces mots, tout le monde éclate de rire. Pourquoi ? Parce que Bou-bou est le chat le plus vieux, le plus obèse et le plus grognon de la terre.

— Il est bien trop détestable, dit Karen. Il cracherait probablement sur les juges.

— Ouais, convient André. Et on ne pourrait même pas l'emporter dans nos bras, il est trop lourd.

Manifestement, Bou-bou n'aura même pas la chance de participer au concours.

Au cours de l'après-midi, les petits voisins viennent grossir le groupe. Annie et Léonard Papadakis arrivent en premier, avec leur petite sœur Sarah. Sarah est du même âge qu'Émilie, mais elle est plus avancée à bien des égards. Émilie apprend un petit peu moins vite, mais c'est seulement parce qu'elle n'a pas été entourée d'amour et

50

d'attention pendant la première année de sa vie, au Viêt-nam.

Annie (qui a sept ans est dans la même classe que Karen) et Léonard (huit ans, il est le meilleur ami de David) sont eux aussi très excités par le concours d'animaux. C'est également le cas de Simon et Timothée Hébert, et de Maxime et Amanda Demontigny qui habitent tous la même rue. Les enfants n'ont qu'une chose en tête : le concours !

Karen et Amanda sont amies, même si Amanda est parfois un peu snob. (C'est d'ailleurs la raison pour laquelle Annie ne peut pas la supporter.) Maxime, six ans, voudrait bien devenir l'ami de David et Léonard, mais ceux-ci font tout pour l'éviter. Quant à Simon et Timothé, ce sont de gentils garçons aimés de tous.

Quoi qu'il en soit, avec toute cette marmaille aux affinités et antipathies diverses, Christine se dit qu'il serait certainement plus sage d'oublier le concours et d'organiser un jeu quelconque.

— Que diriez-vous de jouer au jeu du chat ? demande-t-elle.

— Oh oui ! C'est moi le chat ! s'écrie David.

Tout le monde se disperse en gloussant et en poussant des cris et David se lance à leur poursuite pour essayer de les toucher. Le jeu dure pendant une bonne demi-heure, jusqu'à ce que tous, à bout de souffle, s'écrasent sur la pelouse. Christine leur sert alors un verre de jus et, tout en se désaltérant, les enfants se remettent à parler du concours. En fait, c'est Karen qui aborde de nouveau le sujet.

— Lequel de vous deux va inscrire Priscilla ?

demande-t-elle à Maxime et Amanda. (Priscilla est le chat des Demontigny.)

Précisons que Karen a le don de se mêler des affaires des autres. On pourrait dire que c'est une jeune Christine. Elle a beucoup d'énergie et de bonnes idées, mais elle s'attire parfois des ennuis parce qu'elle ne tourne pas sa langue sept fois dans sa bouche avant de parler. Comme maintenant.

Pendant une fraction de seconde, ni Amanda ni Maxime ne disent mot. Puis, ils répondent en même temps.

— Moi ! fait Maxime.

— Moi ! lance Amanda.

— C'est *mon* chat ! disent-ils d'une même voix.

Oh, oh, se dit Christine. Ça sent mauvais.

— Priscilla sera le plus beau chat du concours, clame Amanda. Personne ne possède un persan blanc pure race qui a coûté quatre cents dollars. Et j'ai l'intention de gagner le premier prix avec elle.

Avant que Maxime ne puisse répondre à sa sœur, Annie intervient avec véhémence.

— Comment ça Priscilla est le plus beau chat ? Pat la chatte est beaucoup plus jolie que ta vieille vadrouille ! Et plus intelligente à part ça !

Pat est le chaton d'Annie. Les jeunes Papadakis ont aussi un caniche prénommé Miche et une tortue répondant au nom de Myrtille.

— Vadrouille ! répète Amanda, indignée. Non, mais…

— Et une stupide vadrouille, renchérit Annie. Elle ne fait rien d'autre que dormir.

— Et après ? C'est un chat et non un chien. Les chats ne sont pas censés faire de trucs.

— Eh bien, Pat sait faire des trucs, elle. Elle peut danser sur ses pattes de derrière. Les juges vont adorer ça, ajoute Annie en adressant un petit sourire mesquin à Amanda.

— Et toi, Léonard, qui as-tu l'intention d'inscrire ? demande Christine qui pense qu'il est urgent de changer de sujet.

— Je vais inscrire Myrtille, déclare-t-il avec un large sourire. Je vais peindre sa carapace et elle sera super !

— Bonne idée ! répond Christine. Et vous, demande-t-elle à Simon et Timothée.

— On n'a pas d'animal, répond Timothée, l'air penaud. On ne pourra pas participer au concours.

— On peut te prêter Bou-bou, offre Karen avant que Christine ne puisse les réconforter. Il n'a aucune chance de gagner, mais au moins, tu pourras participer.

— Et tu peux emprunter Miche, Simon, de dire Annie.

— Êtes-vous bien certaines, les filles ? demande Christine. C'est très sérieux de prêter son animal à quelqu'un.

— Hum, fait Karen. Tu as raison. Oublie ça, Timothée. Je serais trop fâchée si Bou-bou gagnait un prix.

— Je n'avais pas pensé à ça, dit Annie. Je retire mon offre, Simon. Tu ne peux pas emprunter Miche.

— Mais, tu viens juste de me dire que je pourrais l'inscrire ! proteste Simon.

— Je sais, mais j'ai changé d'idée. Tu devras te trouver un autre animal.

Christine émet un grognement. On dirait que sa dernière idée va engendrer plus de problèmes qu'autre chose. Le concours d'animaux était censé être un événement amusant. Il semble que les enfants ne voient pas cela du même œil.

53

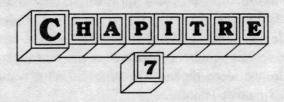

CHAPITRE 7

— Hé, princesse Aurore, ça va ? me demande Élise.

— Très bien, dis-je en souriant. Je me sens en pleine forme.

— Je l'espère pour toi, répond Stéphanie. Tu ne m'as pas impressionnée jusqu'à maintenant. La Belle au bois dormant dort pendant les répétitions.

Je fais comme si je ne l'avais pas entendue. Je sais que je n'y suis pour rien dans ce qui est arrivé à la première et à la deuxième répétition. Mais aujourd'hui, ce sera différent. Tout devrait marcher comme sur des roulettes.

J'enfile mon nouveau collant rose et mon nouveau maillot noir. Puis, je mets mes nouvelles jambières bleues et mon nouveau coton ouaté.

— Wow ! Tu as un nouvel ensemble ! C'est beau, complimente Élise.

— Merci, dis-je.

Je me suis payé ce nouvel ensemble avec l'argent que j'ai gagné en gardant. Et croyez-moi, ça ne faisait pas mon affaire. C'est bien d'avoir de nouvelles choses, mais ce n'est pas juste. J'économisais cet argent pour m'acheter d'autres sortes de vêtements. Malheureusement, quand on danse, il faut au moins un ensemble de rechange. Je suis bien placée pour le savoir.

Je me suis même acheté un autre sac pour transporter mon équipement. L'ancien faisait très bien l'affaire, mais celui-ci possède un élément très intéressant: un petit cadenas à la jonction des deux fermetures éclair. Le croiriez-vous? J'en suis réduite à garder sous clé mon vieux maillot troué et mes collants usés. Dans quel monde vivons-nous, diraient mes parents.

J'attends qu'il ne reste plus personne au vestiaire, puis je verrouille mon sac. J'enfile ensuite la petite clé sur une chaînette que je garde autour de mon cou.

La répétition commence et, pour une fois, je suis capable de me concentrer.

— Parfait! s'exclame madame Noëlle en me regardant traverser la pièce au *pas de bourrée*. Mais, souriez, mademoiselle Raymond. Détendez-vous.

Bien sûr. Avez-vous déjà traversé toute une pièce sur la pointe des orteils en ne faisant que des petits battements de jambes? Je voudrais sourire, mais j'ai les pieds en compote. Il faut dire que les ballerines ont presque toujours les pieds en compote.

Nous passons à un autre pas et je peux souffler quelques minutes en attendant mon tour. Élise Martin s'exerce à faire des *arabesque*s dans le fond de la classe pendant que, au centre, Karine fait une démonstration de sa technique devant madame Noëlle.

Puis c'est mon tour. J'exécute le mouvement demandé et je vais rejoindre les autres de l'autre côté de la classe en attendant les instructions de madame Noëlle. Derrière moi, Stéphanie chuchote quelque chose et je me retourne pour lui dire de se taire. Ce faisant, j'entends un petit *clink*. Oh, oh! Ma chaînette est tombée par terre. M'agenouillant, je m'empresse de la saisir avant qu'on la remarque et je l'attache avec des doigts qui tremblent un peu. En me relevant, je réalise que j'ai manqué les directives de madame Noëlle. Je n'ai aucune idée de ce qu'il faut faire et je suis devant les autres, ce qui signifie que je dois passer la première.

Désespérée, je regarde autour de moi. Madame Noëlle est occupée à remettre l'aiguille sur le disque. Karine est à mes côtés.

— Qu'est-ce qu'il faut faire? lui demandé-je.

— *Tours jetés*, répond Karine. À tour de rôle.

— Mademoiselle Raymond, à vous de commencer, ordonne madame Noëlle.

Prenant une grande inspiration, je m'élance en courant et j'exécute un *tour jeté* parfait. (Un tour jeté, c'est un grand bond effectué en courant.) Enfin, presque. Le seul problème, c'est la réception, c'est-à-dire la façon dont le corps touche le sol après un saut.

Je retombe comme un gros sac de pommes de terre et je m'étale de tout mon long par terre. Pendant une fraction de seconde, je ne sais même plus où je suis. Soudain, une douleur aiguë me transperce la cheville. Tout le monde se précipite vers moi.

— Jessie, est-ce que ça va? demande Marie-Claude. Qu'est-ce qui est arrivé?

— Je ne sais pas. J'ai l'impression d'avoir glissé sur quelque chose, dis-je en examinant le plancher autour de moi. Regardez! C'est mouillé, là!

Stéphanie se penche et passe un doigt sur le plancher.

— Ça alors, c'est une vraie patinoire. Pas étonnant que tu sois tombée.

— Mais d'où ça peut venir? s'interroge une autre fille.

— Vous n'êtes pas blessée, mademoiselle Raymond? s'enquiert madame Noëlle après avoir réussi à se faufiler entre les filles qui font cercle autour de moi.

Après m'avoir aidée à me relever, elle examine le plancher et frappe dans ses mains.

— Élise Martin! Allez chercher la personne responsable de l'entretien, s'il vous plaît.

Madame Noëlle se retourne ensuite vers moi. Je me tiens debout, tout mon poids sur ma jambe droite, car ma jambe gauche refuse de me soutenir.

— Comment va votre cheville? me demande-t-elle en me regardant droit dans les yeux.

— Ça… ça fait mal, dis-je, incapable de mentir.

Je voudrais continuer à danser, faire comme si de rien n'était. Je ne peux pas supporter le fait d'avoir perturbé la répétition pour une troisième fois de suite. Malheureusement, je ne peux pas ignorer la douleur dans ma cheville.

— Venez avec moi, on va regarder ça, dit madame Noëlle en m'entraînant doucement vers les chaises placées le long d'un des murs.

Prenant mon pied, elle palpe ma cheville. Madame Noëlle en a vu des blessures au cours de ses nombreuses années dans le monde de la danse. Elle sait donc ce qu'elle fait. De toute façon, je dois me rendre à l'évidence: ma cheville est enflée et commence à se colorer.

— Ce n'est pas trop grave, diagnostique madame Noëlle. À mon avis, ce n'est pas une entorse, mais une petite foulure. Vous devez tout de même voir un médecin. Mais dites-moi, pourquoi avez-vous effectué un *tour jeté*?

— Qu'est-ce que vous voulez dire? Ce n'est pas le mouvement qu'on devait exécuter?

— Vous n'avez pas bien écouté, mademoiselle. Je n'ai pas parlé de *tour jeté*. Vous deviez effectuer une *glissade changée*.

— Je suis désolée, madame, dis-je au bord des larmes. Vous avez raison, je n'étais pas attentive.

Je baisse la tête, honteuse. J'ai horreur de la décevoir.

— Ne vous en faites pas avec ça, Jessie. L'important, c'est que votre cheville guérisse. Vous ne devez pas danser pendant quelques jours.

Ne pas danser! Et le spectacle? Comment vont-ils répéter *la Belle au bois dormant* sans moi? Madame Noëlle répond à ma question avant même que je puisse la poser.

— Mademoiselle Perrault, annonce-t-elle d'une voix forte, vous allez assumer le rôle de la prince se Aurore...

Quoi? Je n'en crois pas mes oreilles. Ai-je perdu le rôle principal pour avoir glissé dans une flaque d'eau?

— ... pour la prochaine répétition et peut-être davantage, jusqu'à ce que Jessie soit capable de danser.

Fiou! Au moins, je n'ai pas complètement perdu mes chances d'interpréter la princesse Aurore. Mais j'ai tout de même envie de pleurer. Rien ne me rend plus misérable que de ne pas pouvoir danser.

— Nous allons continuer, mesdemoiselles, dit madame Noëlle en frappant dans ses mains. (Puis, elle se tourne vers moi.) J'aimerais bien vous laisser assister à la répétition, mais je pense que vous devriez aller voir un médecin sans tarder.

Hochant la tête avec tristesse, je boite jusqu'à la porte du studio. Au passage, je ne peux m'empêcher de remarquer l'air radieux de Marie-Claude. Je ne veux pas dire qu'elle se réjouit de me voir blessée. Mais elle ne semble pas trop affligée, non plus.

J'appelle mon père au bureau. En entendant sa voix, je fonds en larmes.

— Papa! dis-je en sanglotant comme un bébé.

— Jessie! Qu'est-ce qui se passe? Où es-tu?

— Ça va, je vais bien, dis-je aussitôt pour le calmer. Mais, je me suis fait mal à la cheville pendant la répétition. Madame Noëlle dit que je dois voir un médecin. Oh, papa, je ne pourrai pas danser pendant plusieurs jours!

— Ça va aller, ma petite chatte. Attends-moi, j'arrive!

Après avoir raccroché, je me rends péniblement jusqu'au vestiaire pour me changer. C'est la pire des trois répétitions. Jamais deux sans trois, paraît-il. J'espère que c'est maintenant fini. J'essaie de m'encourager en me disant que cette malchance est derrière moi et que si je ne peux pas danser pendant quelques jours, ce n'est pas la fin du monde. Je reviendrai reposée et en forme, voilà.

En sortant mon sac de dessous le banc, j'ai un serrement de cœur. Un morceau de papier a été inséré dans le trou de la serrure du cadenas. Un autre billet. En le lisant, je ne peux retenir une exclamation. Voici ce que dit le message cette fois: JE TE L'AVAIS DIT. À PARTIR DE MAINTENANT, SURVEILLE-TOI.

Un frisson me traverse. Je pense immédiatement à la flaque d'eau sur le plancher et à ma chute. Quelqu'un aurait-il manigancé cette chute ? Et pourquoi ? Comment peut-on se montrer aussi méchant ? J'ai la tête remplie de questions. Je me change et je sors de cet endroit de malheur aussi vite que me le permet ma cheville.

CHAPITRE 8

— Je suis désolée, Jessie, mais ton professeur avait raison, déclare le docteur Jasmin après avoir examiné ma cheville. C'est une mauvaise foulure. Mais ça aurait pu être pire.

— Je sais, j'aurais pu me faire une entorse ou une fracture, dis-je piteusement.

— D'après ce que tu m'as raconté, laisse-moi te dire que tu t'en tires à bon compte. Néanmoins, il est important que ta blessure, si mineure soit-elle, ait le temps de bien guérir.

— Combien de temps dois-je rester sans mettre de poids sur mon pied?

Je retiens mon souffle en attendant sa réponse. Cette stupide chute va-t-elle me coûter mon rôle?

— Je dirais trois jours. Un peu plus si ta cheville est encore sensible.

Trois jours! Ce n'est pas si mal. Je ne manquerai qu'une seule répétition.

— Maintenant, nous allons bander cette cheville, dit le

docteur Jasmin pendant que je pousse un soupir de soulagement. Et je vais te donner des béquilles, car tu dois absolument éviter de marcher sur ton pied gauche. Ça va comme ça? me demande-t-elle en souriant.

— Oui, oui. Je vais suivre vos indications à la lettre. Tout ce que je veux, c'est pouvoir recommencer à danser le plus tôt possible.

Cette nuit, la douleur me tient éveillée et je remercie le ciel de ne pas être obligée de répéter avec les autres le lendemain. Je suis complètement épuisée.

Assise sur une chaise au fond du studio, j'assiste à la répétition. Ça fait bizarre d'observer les autres et de ne pas être au cœur de l'action. Marie-Claude se donne à fond dans mon rôle et Karine jette sans cesse des regards de mon côté. Est-ce le fruit de mon imagination ou a-t-elle l'air coupable? Soudain, je me demande si... c'est une de mes compagnes de classe qui m'envoie des notes de menace. Cette eau sur le plancher, était-ce une simple coïncidence? Ai-je vraiment mal compris Karine ou l'a-t-elle fait exprès de me donner la mauvaise directive?

Je n'aime pas soupçonner mes compagnes, mais je commence à avoir peur. Il est évident que quelqu'un cherche à se débarrasser de moi pour jouer le rôle principal à ma place.

À la fin de la répétition, quelques filles viennent faire cercle autour de ma chaise.

— Comment vas-tu, Jessie? minaude Stéphanie qui, jamais auparavant ne s'est intéressée à ma santé.

— Ça va, dis-je. Ça ne fait plus trop mal. Je pourrai danser à la prochaine répétition.

— Super! s'exclame Élise.

Est-elle vraiment sincère ? Tout à coup, toutes me paraissent suspectes. Quelle horrible impression !

Quand elles sont sorties du studio, je me rends jusqu'au vestiaire à l'aide de mes béquilles. C'est embarrassant de se déplacer comme une estropiée. Je n'ai pas envie de faire rire de moi. Je vérifie mon casier, pour être bien sûre que je n'y ai pas oublié un vieux maillot sale. Il n'y a rien sauf… un autre billet !

Je le déplie et je découvre un autre message écrit encore à l'encre rouge sang : ÇA AURAIT PU ÊTRE PIRE. DOMMAGE.

À la réunion suivante du CBS, je raconte mon histoire à mes amies. Je n'en avais pas beaucoup parlé jusqu'ici parce que la chose me paraissait stupide. Mais ça devient de plus en plus inquiétant.

— Cette personne semble vraiment méchante, Jessie, de dire Anne-Marie. C'est très sérieux.

— Je sais, dis-je. Je commence à avoir peur qu'il m'arrive quelque chose de grave.

— Moi aussi, ça m'inquiète, ajoute Marjorie. Qu'est-ce que tu as l'intention de faire ? Il faudrait peut-être en parler à madame Noëlle.

— Non. Elle ne croirait jamais qu'une telle chose puisse se passer dans son école. Elle dirait que j'ai tout inventé. En fait, je pense que je devrais tout simplement abandonner. J'adore ce rôle, mais je ne vais quand même pas risquer ma vie pour la princesse Aurore.

— Abandonner ! s'exclame Marjorie. Voyons, Jessie ! Tu es devenue folle. C'est le meilleur rôle que tu aies obtenu. Si tu lâches, celui ou celle qui essaie de t'effrayer aura eu ce qu'il voulait.

— Marjorie a raison, convient Claudia. Tu ne peux pas abandonner. J'ai déjà acheté la tenue que je vais porter à ta grande première, blague-t-elle. Non, sérieusement, nous allons t'aider à élaborer un plan d'action.

— Jessie, as-tu encore les billets que tu as reçus? demande Diane.

— Oui, ils sont ici, dis-je en fouillant dans mon nouveau sac.

— Ça alors! Moi aussi, j'aurais la frousse à ta place, lance Diane après avoir examiné chacun des billets.

Elle les passe aux autres qui les étudient attentivement pendant que Sophie prend un appel.

— Vraiment, Jessie, dit Christine. Quelqu'un cherche à te faire peur. Tu ne peux pas lui donner cette satisfaction.

— J'ai une idée, fait soudain Marjorie. On pourrait assister à l'une des répétitions. Seulement à titre d'observateurs, comme ils disent à la télé et ainsi, on pourrait peut-être découvrir le suspect.

— La prochaine répétition aura lieu sur la scène où se donne le spectacle, dis-je après quelques secondes de réflexion. Si vous preniez place à l'arrière de l'auditorium, on ne vous remarquerait probablement pas.

— Absolument génial! déclare Sophie.

Sur ce, le téléphone sonne et Christine répond. Pendant ce temps, je réfléchis au plan de Marjorie et je prends ma décision. Je ne renoncerai pas, du moins pas avant que mes amies assistent à une répétition.

— Maintenant que c'est réglé, dit Christine, parlons un peu du concours. Ce que j'ai écrit à ce sujet dans le journal de bord n'était pas très optimiste, mais je pense tout de même que ce sera amusant. Et vous ?

— Bien sûr ! répond Anne-Marie. Et je suis certaine que les enfants pensent la même chose. Ils ont déjà du plaisir, même si cela occasionne un peu de rivalité.

— Moi aussi, je pense qu'ils sont déjà bien excités, ajoute Marjorie. J'ai gardé les petites Seguin, hier après-midi, et elles ont essayé de donner un bain à Choubaco. Vous auriez dû voir la salle de bains.

Choubaco est le labrador des Seguin. Ce chien possède de l'énergie à revendre, en plus d'être gros et fort. Toute cette vitalité est souvent la cause de dégâts.

— Chaque fois qu'elles réussissaient à le faire entrer dans la baignoire, il en ressortait aussitôt et éclaboussait toute la salle de bains en se secouant. Ensuite, lorsqu'il était dans le bain, l'une des filles devait entrer avec lui pour le tenir tandis que l'autre le savonnait. Naturellement, chaque fois que la barre de savon glissait des mains de celle qui lavait et tombait par terre, Choubaco...

— Allait chercher le savon, je parie ! termine Diane. Ce chien-là ne peut voir tomber quelque chose sur le sol sans courir après pour le rapporter.

— C'est vrai. Si vous aviez vu la tête qu'il a faite la première fois qu'il a pris le savon dans sa gueule ! Mais ça ne l'a pas empêché de le reprendre encore et encore.

— Alors, est-ce qu'il a fini par être propre ? demande Sophie.

— Bien, Gabrielle est sortie quelques minutes et elle est revenue avec le chat. Elle devait penser qu'il avait lui aussi besoin d'un bain, parce qu'elle l'a jeté à l'eau !

Oh, mon Dieu !

— Naturellement, le chat a bondi hors de la baignoire et s'est enfui en courant. Choubaco s'est aussitôt lancé à sa poursuite et l'a suivi sous la galerie. Les deux étaient couverts de terre. Ce bain n'aura pas donné le résultat espéré.

— Je suis certaine que, de toute façon, Choubaco se serait sali avant le concours, remarque Anne-Marie entre deux fous rires.

— C'est ce que j'ai essayé d'expliquer aux filles, répond Marjorie, mais elles étaient trop contrariées pour écouter. Quelle journée ! On a passé le reste de l'après-midi à nettoyer la salle de bains.

— J'ai eu à peu près le même genre d'expérience avec Léonard Papadakis, dit Christine.

— Tu veux dire qu'il a donné un bain à sa tortue ! s'exclame Claudia.

— Non, pas exactement, mais…

Christine est interrompue par le téléphone. Marjorie prend une garde chez les Barrette, puis Christine continue son histoire.

— Léonard a été occupé tout l'après-midi à peindre la carapace de Myrtille. Il a utilisé de la peinture à l'eau parce que je lui ai dit que c'était préférable pour le bien-être de Myrtille. Et il a fait un vrai travail d'artiste.

— Qu'est-ce qu'il a peint ? demande Claudia.

— Il y avait des éclairs rouges de chaque côté de la carapace, et des étoiles jaunes, et toutes sortes d'autres motifs. C'était génial. Ensuite, on a sorti Myrtille dehors pour que Léonard puisse admirer son œuvre tout en jouant.

— Quelque chose me dit qu'un désastre s'est produit, fait Anne-Marie.

— Exactement, de répondre Christine. Pendant que Léonard s'amusait avec ses amis, Myrtille a décidé d'aller faire trempette dans la petite piscine en plastique de Sarah. Lorsqu'on l'a repêchée, toute sa carapace était complètement lavée.

— Pauvre Léonard, dis-je.

— Oui, je sais. Il avait beaucoup de chagrin. Mais au moins, il a appris qu'il devra éloigner Myrtille de l'eau s'il veut repeindre sa carapace.

Nous parlons du concours jusqu'à la fin de la réunion. Pour les enfants de Nouville, il s'agit manifestement d'un événement majeur. J'espère seulement que nous survivrons jusque-là.

CHAPITRE 9

Jeudi

Qu'est-ce qui nous a fait croire que ce concours d'animaux serait amusant? Jusqu'à maintenant, on dirait qu'il n'a causé que des disputes et des désagréments. J'aurais dû me douter que le concours était la cause du comportement de Bruno et Suzon. Heureusement, tout a fini par rentrer dans l'ordre. J'espère qu'il en sera de même pour le concours!

Pauvre Marjorie! En mettant le pied chez les Barrette, elle s'est tout de suite rendu compte qu'elle aurait du fil à retordre. Comme d'habitude, madame Barrette est en retard (elle n'est pas très organisée) et elle part sans laisser aucune directive à Marjorie.

Il faut préciser que madame Barrette a divorcé récemment et qu'elle a de la difficulté à s'occuper seule de ses trois enfants. Elle sort donc en courant, laissant derrière elle une bouffée de parfum... ainsi que trois enfants d'humeur massacrante.

Bruno, huit ans, qui est généralement gai et débordant d'énergie, semble plutôt maussade. Suzon, cinq ans, affiche un air boudeur, et Marilou, deux ans, hurle comme une sirène de pompiers.

— Qu'est-ce qui ne va pas, Marilou, demande Marjorie en la prenant dans ses bras.

La réponse est évidente: sa couche est trempée.

— Hé, les amis, venez me tenir compagnie pendant que je change la couche de Marilou. Ensuite, on prendra une petite collation.

— Est-ce que je suis obligé? demande Bruno. Je ne veux pas être dans la même pièce qu'elle, dit-il en pointant Suzon du doigt.

— Tu sais quoi, Bruno Barrette? rétorque celle-ci. Tu es stupide!

— Tu sais quoi? demande Bruno. Tu es encore plus stupide!

— Bon, ça va, les enfants, intervient Marjorie avant que la situation ne dégénère davantage. Venez m'aider à changer Marilou. Suzon, tu veux m'indiquer où ta maman range les couches ces derniers temps?

La maison des Barrette est un véritable capharnaüm. Nous essayons parfois de faire un peu de rangement, mais Marjorie se dit que ce n'est pas une bonne idée aujourd'hui. Elle demande donc à Suzon de lui apporter une couche et invite Bruno à distraire le bébé pendant qu'elle la change. (Marilou n'aime pas se faire changer de couche.)

— Merci, Bruno! Merci, Suzon! dit Marjorie une fois que Marilou est bien au sec. Maintenant, on va descendre manger un petit morceau et vous allez me dire ce qui vous rend si bougons.

— Je ne suis pas bougonne, ronchonne Suzon.

— Si, tu l'es, lance Bruno. Mais moi, je suis de très bonne humeur, affirme-t-il en adressant un sourire forcé à Marjorie.

Cette dernière hausse les épaules et se retourne pour prendre des biscuits dans l'armoire.

— Aïe! crie Suzon. Marjorie, Bruno m'a donné un coup de pied!

— Bruno, laisse ta sœur tranquille, admoneste Marjorie sans même se retourner.

— Hé! fait Bruno à son tour. Marjorie, elle m'a pincé!

— C'est pas vrai!

— Ça suffit! fait Marjorie, les mains sur les hanches. Vous allez me dire ce qui se passe. Vous n'avez pas l'habitude de vous chamailler comme ça! Alors, quel est le problème?

— C'est Salami, disent-ils d'une même voix, après avoir échangé des regards furieux.

— Je veux l'inscrire au concours, déclare Bruno. C'est mon chien. Suzon n'était même pas née quand je l'ai eu pour mon deuxième anniversaire.

— Mais maman dit que c'est le chien de toute la famille, pleurniche Suzon. Et je t'aide souvent à le nourrir. Je veux l'inscrire, moi aussi !

Salami est le basset des Barrette. Bruno prétend que c'est le chien le plus méchant de la planète, mais il exagère. Salami est une bonne bête docile qui passe le plus clair de son temps à dormir.

Marjorie laisse échapper un gros soupir. Elle est partie de chez elle au beau milieu d'une dispute semblable entre ses frères et sœurs. En effet, les jeunes Picard se querellent depuis qu'ils ont reçu l'invitation pour savoir à qui reviendra le privilège d'inscrire Frodo, le hamster de la famille, au concours.

— Je suis certaine que vous arriverez à vous entendre, dit Marjorie, peu convaincue. Ça ne vaut vraiment pas la peine de vous disputer pour ça. Finissez votre collation et on pourra aller jouer dehors.

Lorsque les enfants ont mangé, Marjorie range la cuisine (ce qui veut dire qu'elle lave aussi toute la vaisselle du déjeuner que madame Barrette a laissée dans l'évier). Ensuite, elle emmène les enfants dehors. Marilou grimpe dans sa poussette et Marjorie la pousse sur le trottoir tandis que Suzon lui montre les fleurs qu'elle et sa mère ont plantées. Bruno, lui, fait des grimaces dans le dos de sa sœur.

Soudain, son visage s'éclaire. Suivant son regard, Marjorie aperçoit Hélène et Matthieu Biron qui arrivent. Quel soulagement ! Bruno et Suzon vont pouvoir se changer les idées. Marjorie salue Hélène, tout en faisant le signe qui veut dire bonjour à Matthieu.

Voyez-vous, Matthieu est sourd et muet et nous avons

toutes appris quelques mots en langage des signes. Naturellement, Hélène sert d'interprète, mais c'est agréable de pouvoir «parler» directement avec Matthieu.

Les deux garçons organisent aussitôt une partie de balle molle et acceptent de laisser jouer les filles.

— Et c'est un coup sûr au champ centre! crie Bruno après avoir cogné la balle au-dessus de la tête de Matthieu qui agit comme lanceur.

Il fait le tour de la cour en courant, touchant des coussins imaginaires. Puis c'est au tour d'Hélène de frapper.

— Attention! dit-elle en balançant le bâton. Je vais faire sortir la balle du stade, annonce-t-elle tout en traduisant en signes pour Matthieu, qui éclate de rire et lui répond par signes.

— Comment ça, les filles ne frappent pas! s'exclame-t-elle en s'élançant dans le vide. Zut! Lances-en une autre, dit-elle en signes.

Cette fois, Hélène frappe la balle de toutes ses forces et oublie de courir tellement elle est surprise. Complètement figés, Matthieu et Bruno regardent la balle passer très haut au-dessus de leur tête et atterrir sur le toit de la maison.

— Super coup, Hélène! félicite Marjorie.

— Ouais, super, dit Bruno. Maintenant, on n'a plus de balle. Si tu l'avais simplement envoyée chez les voisins, Salami aurait pu aller la chercher!

— Oh, Salami, Salami par-ci, Salami par-là, grogne Hélène. C'est tout ce qu'on entend ces derniers temps. Ton chien n'est pas si extraordinaire, tu sais, Bruno Barrette.

— Ah non? Eh bien c'est toujours mieux que pas de chien du tout! rétorque Bruno.

En entendant cette réponse, Hélène se mord les lèvres.

Au même moment, Matthieu s'approche d'elle et veut savoir ce que Bruno vient de dire. Sa sœur fait la traduction en signes, et Matthieu jette un regard furieux à Bruno. Puis, il se met à faire d'autres signes.

— Il dit que ça ne fait rien. On est quand même invités au concours ! s'empresse de traduire Hélène.

— Peut-être, mais vous ne pourrez pas gagner de prix, lance Suzon.

— Et qu'est-ce qui vous fait croire que vous allez gagner un prix avec votre espèce de grosse saucisse ? répond Hélène.

— Salami n'est pas une grosse saucisse, proteste Suzon en pleurant. C'est un chien de race.

— Ça suffit, les enfants, cessez de vous disputer pour... intervient Marjorie avant d'être interrompue par Bruno qui crie à sa sœur :

— Tu as raison, c'est un chien de race. Mais tu ne gagneras pas de ruban avec lui, parce que c'est avec moi qu'il va participer au concours !

Oh non ! pense Marjorie. Ça recommence. Elle est sur le point de prendre Bruno à part pour le calmer quand Hélène pousse un cri.

— Tu m'as pincée ! hurle-t-elle au visage de Suzon. Viens-t'en, Matthieu, on s'en va ! ajoute-t-elle en entraînant son frère avec elle.

— C'est malin, fait Marjorie en les regardant s'éloigner. Bon, il est temps de faire la paix, dit-elle en conduisant les jeunes Barrette vers la galerie. Écoutez, il n'y a aucun règlement qui dit qu'une seule personne doit inscrire un animal. Vous pourriez inscrire Salami tous les deux !

Bruno et Suzon échangent un regard. Il est évident qu'ils approuvent cette idée, mais aucun ne veut céder le premier.

— Suzon, tu pourrais t'occuper de sa toilette, poursuit Marjorie. Et toi, Bruno, tu pourrais lui montrer des tours.

Les deux enfants se sourient.

— Ouais! fait Bruno. Je pourrais peut-être lui montrer à rouler sur lui-même, comme le chien de tante Louise.

— Et moi, je vais lui donner un bain, peindre ses griffes en rose et lui attacher une grosse boucle autour du cou, déclare Suzon. Ce sera le plus beau chien du concours!

À la fin de l'après-midi, Marjorie retourne chez elle en espérant que ses frères et sœurs ont réglé la question de l'inscription de Frodo de façon pacifique. Elle a entendu assez de dispute aujourd'hui. À sa grande surprise, le problème a été résolu. Pour une raison que tout le monde ignore, les triplets ont subitement renoncé à présenter Frodo au concours. Ils ont mandaté Nicolas qui a gentiment offert de le partager avec Vanessa, Margot et Claire.

Soulagée de retrouver une atmosphère paisible, Marjorie ne s'interroge pas sur les motifs des triplets. Toutefois, elle se doute bien qu'ils mijotent quelque chose. Mais quoi?

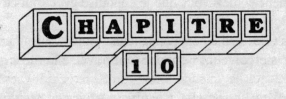

CHAPITRE
10

— Claudia, peux-tu faire attention ! Ton coude est dans mon oreille !

— Excuse-moi, Sophie, mais je ne peux pas le mettre ailleurs. Je ne peux même pas bouger.

— Tu ne peux pas te déplacer un petit peu ?

— Je suis incapable de faire le moindre geste avec Marjorie assise sur mes genoux. De toute façon, je crois que je ne pourrai plus jamais remuer mes jambes. Elles sont complètements engourdies.

— Claudia, tu exagères ! Je ne suis pas si lourde quand même, proteste Marjorie.

Six des membres du CBS (Anne-Marie ne nous accompagne pas, car elle a une garde) sont empilées dans la voiture de Charles qui nous emmène à mon cours de ballet. C'est samedi après-midi, il pleut et tout le monde vient assister à ma répétition. Christine et moi sommes assises en avant avec Charles, tandis que Diane, Sophie, Claudia et Marjorie sont entassées derrière. Si j'ai la chance d'être devant, c'est parce que je dois indiquer le chemin à Charles.

— Hé, qui m'a pincée? glapit Diane.

Puis, c'est l'hystérie quand les passagères de la banquette arrière se mettent à se pincer mutuellement.

— Hé les filles, arrêtez vos conneries, lance Charles. Comment voulez-vous que je conduise avec tout ce tohubohu?

Les filles se calment pendant un moment, jusqu'à ce que Diane aperçoive un beau gars qui traverse la rue à grands pas.

— Wow! crie-t-elle. Chauffeur, suivez ce beau mâle.

— Diane! fait Christine en rougissant. Arrête ça! Il pourrait t'entendre.

— Il ne peut pas nous entendre, dit Claudia. Toutes les vitres sont fermées. Tiens, je vais te le prouver. Youhou, mon amour!

Le gars se retourne et regarde vers la bagnole de Charles. Nous baissons toutes la tête en gloussant.

— Oh mon Dieu, croyez-vous qu'il m'a entendue? demande Claudia. Je vais mourir.

— S'il te plaît, ne meurs pas dans mon auto. Qu'est-ce que je dirais à tes parents? répond Charles. Bon, calmez-vous un peu, les filles.

Le silence règne pendant quelques instants, puis les fous rires reprennent lorsque Sophie et Claudia se mettent à discuter de la tenue vestimentaire d'une fille de leur classe. Tout compte fait, même si j'ai peur que Charles se fâche et nous fasse descendre avant d'arriver à destination, je suis contente que mes amies soient un peu turbulentes. Ça m'empêche de trop penser à la répétition.

Voyez-vous, je suis plutôt nerveuse. Premièrement, je

ne suis pas satisfaite de ma performance ces derniers temps. Tous les « incidents » qui se sont produits pendant les cours, ainsi que les billets que je reçois, m'ont perturbée. Ma concentration s'en trouve affectée et je ne danse pas aussi bien que d'habitude. Je crains que madame Noëlle ne perde patience à mon égard.

Et puis, je sais que je ne devrais pas laisser mes amies assister à la répétition. Je n'ai pas demandé la permission à mon professeur et je n'ose pas penser aux conséquences si elles étaient découvertes.

— Terminus ! lance Charles en immobilisant la voiture dans le stationnement du Centre des Arts de Nouville. Jessie, comment sont-elles censées entrer dans l'auditorium ? me demande-t-il.

— Elles peuvent utiliser la porte du côté. Peux-tu les aider à se faufiler à l'intérieur ? Il fait très noir au fond de la salle.

— Bonne chance, Jessie, dit Marjorie, une fois que nous sommes toutes sorties de la voiture. Nous allons ouvrir l'œil !

— Et prendre des notes, ajoute Diane en exhibant un petit calepin et une lampe de poche miniature en forme de stylo.

— Ça alors, vous prenez votre travail de détective au sérieux. Je vous en prie, soyez prudentes.

— Ne t'en fais pas, répond Claudia. Oublie que nous sommes là. Bonne répétition, Jessie.

Je les regarde s'éloigner, puis j'entre par la porte principale. Je me change rapidement et je m'empresse de me rendre sur la scène où madame Noëlle nous attend. Je regarde derrière elle, vers le fond de la salle. Où sont mes amies ? Je ne discerne aucun bruit ni aucun mouvement. Parfait.

— Êtes-vous en forme pour danser, mademoiselle ? me demande madame Noëlle.

— Oui, madame.

Et c'est vrai. Aujourd'hui, rien ne pourra me déconcentrer. Tout me semble normal. Aucun de mes vêtements n'a disparu. Et je n'ai pas reçu de billet non plus. J'oublie bientôt mes amies, assises dans le noir et observant mes moindres mouvements, et je m'abandonne corps et âme à la merveilleuse musique de Tchaïkovski et aux difficiles évolutions du ballet.

La répétition se déroule sans heurt et lorsque c'est fini, je suis satisfaite. J'ai travaillé fort et je sais que j'ai bien dansé.

— Excellent ! nous félicite madame Noëlle avant de nous laisser partir. Vous avez toutes dansé avec beaucoup de grâce aujourd'hui. Je suis certaine que le spectacle sera un succès.

En m'habillant, je pense à la répétition. J'espère que mes amies n'auront pas perdu leur temps en venant ici. Je dois admettre que j'espérais secrètement qu'il se produirait quelque chose pour qu'elles en soient témoins. Mais tout s'est déroulé normalement. Au vestiaire, il n'y a rien de suspect non plus. Pas de billet, pas d'effets personnels disparus. Quand mes compagnes sont parties, Diane se faufile au vestiaire pour «poursuivre son investigation». Malheureusement, je n'ai rien de particulier à lui montrer. Tout ce mystère n'existe-t-il que dans mon esprit ? Peut-être que j'en suis rendue à imaginer des choses. Serais-je en train de devenir folle ?

— Pas du tout! proteste Claudia lorsque j'exprime mes sentiments une fois dans l'auto de Charles. Il se passe quelque chose de pas catholique, j'en suis convaincue. Et j'ai trois suspectes en vue.

— Ah oui! dis-je.

— Elle a raison, s'exclame Diane. J'ai remarqué des choses étranges. Par exemple, pourquoi Marie-Claude a-t-elle fait une grimace quand madame Noëlle a dit que ton *pas de bourrée* était «quasi parfait».

Si mes amies sont en mesure d'identifier les filles de ma classe, c'est parce qu'elles ont déjà assisté à plusieurs de mes spectacles.

— Elle était peut-être jalouse, dis-je d'un ton songeur. Après tout, elle m'a remplacée pendant que je soignais ma cheville et madame Noëlle ne lui a jamais fait le même compliment qu'à moi.

— Est-ce qu'elle obtiendrait le rôle si tu ne pouvais pas danser? demande Sophie. Ça expliquerait bien des choses, n'est-ce pas? Peut-être essaie-t-elle de se débarrasser de toi pour jouer le rôle principal.

— Je ne sais pas, dis-je. Je ne crois pas que ce soit la réponse. Si je ne pouvais pas danser, madame Noëlle ferait passer une autre audition avant d'attribuer le rôle. Elle procède toujours ainsi. Je ne crois pas que Marie-Claude l'obtiendrait automatiquement, et ça, elle en est sûrement consciente.

— Et Stéphanie Mayrand? fait Claudia. Pourquoi semble-t-elle aussi soucieuse? On dirait qu'elle a peur de quelque chose.

J'explique alors aux filles que la mère de Stéphanie est très exigeante et qu'elle ne lui laisse aucun répit.

— Elle a beaucoup de pression sur les épaules. Parfois, je la prends en pitié.

— Eh bien, je garderais ma pitié pour quelqu'un d'autre, lance Claudia. Elle ne te tient pas en grande estime.

— Qu'est-ce que tu veux dire?

— Oh, c'est l'impression que j'ai eue en l'observant. Si elle avait des pistolets à la place des yeux, tu serais morte depuis longtemps. On voit qu'elle te déteste.

— Qui d'autre soupçonnez-vous? dis-je après avoir réfléchi à ce que vient de déclarer Claudia.

— Élise Martin me semble trop gentille et trop douce. Personne n'est comme ça dans la vie! remarque Marjorie.

— Tu sais, elle est vraiment aussi gentille, dis-je. Lorsque je me suis blessée, c'est la seule à m'avoir appelée à la maison pour prendre de mes nouvelles.

— C'était probablement pour savoir si tu avais l'intention d'abandonner, suggère Christine.

— Non, dis-je, je suis certaine qu'Élise n'a rien à voir dans tout ça. Il faut l'éliminer de la liste des suspectes.

— Bon, si tu veux. Parle-nous de Karine St-Onge, de dire Claudia.

— Eh bien, Karine est la plus âgée de la classe et c'est son dernier spectacle avec nous. Je suis certaine qu'elle aurait aimé décrocher le rôle de la princesse Aurore parce que ça lui aurait ouvert les portes des grandes compagnies de ballet. Mais le personnage de la Fée des lilas est aussi un rôle important et comme c'est une excellente danseuse, elle n'aura pas de difficulté à entrer dans une école supérieure.

— Elle n'en est peut-être pas aussi certaine que toi, remarque Claudia. Je pense qu'il faut s'en méfier.

— Moi aussi, convient Marjorie. Et je me méfierais aussi de Stéphanie, ne serait-ce que pour les regards qu'elle te lance.

— Et moi, je me méfierais aussi de Marie-Claude, ajoute Christine. Tu te souviens combien vous vous détestiez au début...

— Oui, mais nous avons fait la paix depuis !

— Peut-être, mais moi je pense qu'elle t'en veut d'avoir encore décroché le premier rôle. Elle le voulait pour elle.

— Je ne suis pas d'accord, intervient Diane. Si le rôle lui revenait automatiquement, on pourrait la soupçonner. Mais elle serait obligée de passer une autre audition, et même moi je suis en mesure de dire qu'il y a de meilleures danseuses qu'elle dans la classe.

Après beaucoup de discussion, nous finissons par conserver seulement trois suspectes : Marie-Claude, Karine et Stéphanie. Il ne me reste plus qu'à les surveiller de près.

Lorsque Charles me dépose chez moi, je me sens soulagée et j'en suis reconnaissante à mes amies. Même si nous n'en savons pas davantage sur « le fantôme de l'école de danse » comme l'a baptisé Claudia, j'ai l'impression d'avoir un peu plus le contrôle de la situation. Au moins, nous avons commencé à étudier ce mystère et je sais qu'avec l'aide de mes amies, je réussirai à le résoudre.

CHAPITRE 11

Au cours des répétitions suivantes, j'observe attentivement les trois suspectes. Tout se déroule normalement et notre travail commence à porter fruit. Le spectacle prend forme tandis que moi, je prends de plus en plus d'assurance dans mon rôle.

Je commence à penser que cette histoire de fantôme est peut-être terminée. Mais voilà que d'autres incidents surviennent.

D'abord, je retrouve dans mon sac le vieux maillot qu'on m'avait volé. Quelqu'un s'est amusé à le découper en lambeaux. Ça me donne la chair de poule. Ensuite, lors d'une autre répétition, quelqu'un — que je n'ai pas vu — me pousse dans des décors fraîchement peints. Mon maillot est recouvert de peinture rouge. Madame Noëlle n'est pas très heureuse, et moi non plus. J'ai utilisé toutes mes économies pour remplacer les articles qu'on m'avait volés et je dois emprunter de l'argent à mes parents pour me racheter un autre maillot. Ce rôle commence à coûter cher.

Parfois, je me demande si ça en vaut la peine et je songe à abandonner. Puis, après avoir répété et travaillé un segment du ballet pendant deux heures, je me dis que rien au monde ne me fera renoncer à une telle expérience.

Le « Rose Adagio » est la partie du ballet que je préfère. Plusieurs danseuses disent que cette danse représente un énorme défi parce que la ballerine doit l'exécuter à froid. C'est-à-dire qu'elle n'a pas pu s'échauffer au préalable en exécutant une danse plus facile.

Néanmoins, j'adore cette danse qui demande énormément de concentration et de grâce. Dans le ballet, inspiré du conte de fée, il s'agit du moment où la princesse Aurore est présentée à la cour, le jour de son seizième anniversaire. Elle rencontre quatre princes qui veulent tous l'épouser, et ce, malgré son jeune âge. Chacun lui offre une rose et danse avec elle. Mais après la danse, elle donne les fleurs à sa mère, car elle s'amuse trop pour songer au mariage. La danse que je dois exécuter avec chacun des princes est très difficile et nous devons travailler longtemps avant que madame Noëlle soit vraiment satisfaite. À la fin de chaque danse, le prince m'aide à me tenir sur une pointe, puis il laisse ma main et je dois garder mon équilibre jusqu'à ce qu'un autre prince vienne le remplacer.

— Ne vacillez pas, mademoiselle Raymond ! crie madame Noëlle alors que je fais de mon mieux pour rester en équilibre sur une pointe. Souriez ! N'oubliez pas que vous êtes une jeune princesse heureuse de vivre. Vous devez refléter la gaieté et le bonheur.

J'essaie d'avoir l'air joyeuse, mais ce n'est pas facile. Surtout avec Stéphanie qui me fusille du regard.

Quelquefois, je me sens coupable de monopoliser l'attention de madame Noëlle. Mais mon rôle est vraiment exigeant. Malgré tout, je sens que les autres filles sont jalouses et je ne peux pas réellement les blâmer.

Cependant, la jalousie de mon fantôme commence à prendre trop d'ampleur. Après avoir répété le « Rose Adagio », un autre billet m'attend au vestiaire. Cette fois, il est accompagné d'une rose rouge et dit : ATTENTION AUX ÉPINES !

Je regarde le message pendant que le sang glace dans mes veines. Je plie ensuite le billet et je le range dans mon sac en me disant que je pourrais peut-être apporter la rose à ma mère. Mais en la prenant, je me pique le doigt sur une épine.

— Ouch !

Une goutte de sang commence à perler. Je regarde autour de moi pour savoir qui est dans le vestiaire. Les trois suspectes sont occupées à se changer. En entendant mon cri de douleur, Karine se retourne.

— Jessie, ça va ? demande-t-elle. Hé, c'est joli. Qui t'a offert des fleurs ?

En guise de réponse, je hausse les épaules.

— Un admirateur secret, n'est-ce pas ? Hé, les filles, Jessie a un petit ami ! crie-t-elle.

Rouge de gêne, je jette la rose à la poubelle et je sors du vestiaire en courant pour échapper aux taquineries.

Depuis cet incident, je n'ai plus autant de plaisir à danser le « Rose Adagio ». Je ne fais que penser à cette épine qui m'a piqué le doigt. Mais au lieu de m'endormir pour cent ans comme la princesse Aurore, je deviens plus alerte. Je veux prendre le fantôme en flagrant délit.

J'essaie de surveiller attentivement les allées et venues des trois suspectes, mais ce n'est pas facile. Madame Noëlle me tient occupée pendant presque toute la durée des répétitions.

Une journée, Karine me bouscule trois fois pendant la répétition. Je suis alors certaine que c'est elle le fantôme. Un autre jour, j'entends Stéphanie chuchoter des méchancetés à mon égard. Cette fois, je me dis que c'est elle qui cherche à m'évincer. Ensuite, Marie-Claude commence à me regarder bizarrement. Je la surprends en train de m'observer pendant que je mets mes chaussons, et une autre fois pendant les exercices d'échauffement à la barre. Je ne peux certainement pas l'éliminer de la liste des suspectes.

Ça devient de plus en plus embrouillé. Et pour finir le plat, les billets se font plus fréquents et plus menaçants. Sur un, il est écrit: ABANDONNE LE RÔLE AVANT QU'IL SOIT TROP TARD. Un autre dit: TU AURAS ÉTÉ AVERTIE.

Au lieu de m'effrayer, ces messages ne font qu'accroître ma colère. Je suis déterminée à percer le mystère et à découvrir l'identité de ce fantôme. Ensuite, j'irai tout raconter à madame Noëlle et le spectacle se déroulera sans anicroche.

Un jour, Karine est absente. Madame Noëlle nous apprend qu'elle a la grippe. En revenant au vestiaire après une répétition épuisante, je découvre un autre billet: TU AS BESOIN DE REPOS, BELLE AU BOIS DORMANT.

Soudain, je pense à quelque chose. Karine est absente. Ça ne peut donc pas être elle qui m'envoie ces menaces.

Je peux par conséquent la rayer de ma liste de suspectes. Il ne reste plus que Stéphanie et Marie-Claude. Je décide d'attendre la suite des événements. Qui sait, l'une des suspectes s'éliminera peut-être d'elle-même. Je saurai alors qui se cache derrière ce fantôme.

À la répétition suivante, Karine est encore absente. Soulagée de n'avoir que deux suspectes à surveiller, j'ai plus de facilité à me concentrer et cela se reflète dans ma performance. Ce jour-là, madame Noëlle me dit que je suis magnifique. Elle est tellement avare de compliments que c'est extrêmement valorisant lorsqu'elle nous en fait un. Lors de cette répétition, je me sens merveilleusement bien. Je danse le «Rose Adagio» sans faux pas. Le *pas de deux* que j'exécute avec l'Oiseau bleu frôle la perfection. Et je réussis à jouer la scène du baiser sans pouffer de rire une seule fois. La répétition a été extraordinaire.

Tout s'est déroulé à merveille, sauf que je manque de me faire assommer par un élément de décor. Dans ce théâtre, les décors sont peints sur d'immenses panneaux qui sont hissés et abaissés à l'aide de câbles. Chaque panneau doit peser plusieurs centaines de kilos.

Le décor de *La Belle au bois dormant* est constitué de nombreux panneaux et je suis habituée à les voir monter et descendre pendant les répétitions. Quoi qu'il en soit, je viens de terminer la dernière danse avec le prince charmant et je me dirige vers le fond de la scène pour aller m'asseoir pendant que madame Noëlle révise ses notes. Soudain, quelqu'un me pousse violemment. Avant même que je puisse comprendre ce qui se passe, un immense panneau s'abat sur la scène avec un bruit de tonnerre, à l'endroit même où je me trouvais quelques secondes plus tôt.

Frappée de stupeur, je regarde autour de moi. Quelqu'un est à mes côtés et me demande si je vais bien. C'est Marie-Claude. C'est elle qui m'a poussée en voyant le panneau tomber.

— Merci, Marie-Claude, dis-je quand j'ai retrouvé mes esprits. Je n'ose pas penser à ce qui me serait arrivé si tu n'avais pas été là.

— Moi aussi, je suis contente d'avoir été là au bon moment, dit-elle en souriant. Ça va, tu es certaine?

— Oui, ça va. Merci. Merci beaucoup.

En me rendant au vestiaire, je réfléchis à ce qui vient de se passer. Alors, Karine n'est pas celle qui m'envoie les billets, et ce n'est manifestement pas Marie-Claude. Stéphanie serait-elle le fantôme? Et si oui, comment le prouver?

Cette question, je la pose à mes amies pendant la réunion du Club. Je leur ai fait part des résultats de mon enquête et elles sont excitées d'apprendre qu'il ne reste plus maintenant qu'une suspecte.

— Il faudrait tendre un piège à Stéphanie, suggère Christine. Il faut prouver sa culpabilité.

— Mais comment? demande Claudia. Hé, laisse-moi voir ces billets encore une fois, Jessie.

Je lui remets tous les billets que j'ai reçus jusqu'à maintenant. Diane se penche pour les examiner en même temps que Claudia.

— On ne voit pas ce genre d'écriture tous les jours, dit Diane. Je l'avais remarquée la première fois que j'ai regardé les billets.

— Tu as raison, convient Claudia. Et je sais pourquoi cette écriture semble si particulière. L'auteur de ces petits messages utilise une plume pour la calligraphie.

— Qu'est-ce que c'est la calligraphie ? veut savoir Anne-Marie.

— C'est l'art de bien former les caractères d'écriture. On utilise la calligraphie pour rédiger des invitations de mariage et des choses du genre. La pointe d'une plume à calligraphie permet de former une belle écriture avec des lettres minces et d'autres plus épaisses.

— Et alors, où veux-tu en venir ? demande Christine.

— Eh bien, Jessie n'a qu'à faire écrire quelque chose par Stéphanie. Elle verra ensuite si les écritures correspondent.

— Bravo ! s'exclame Sophie. Claudia, tu es la Miss Marple de Nouville !

Je pense que l'idée de Claudia est absolument géniale.

Maintenant, je dois trouver un moyen de faire écrire Stéphanie en ma présence.

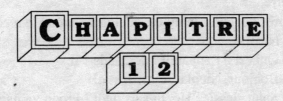

CHAPITRE 12

Pendant les jours qui suivent, je ne pense qu'à une chose : comment piéger Stéphanie. Ce n'est pas une idiote et ce ne sera pas facile de l'amener à avouer son méfait.

À un moment donné, je pense à fouiller son casier afin de voir si elle possède une plume comme celle que Claudia a décrite. Mais ça me semble risqué. Et puis je ne me sens pas à l'aise de fouiller dans ses affaires simplement parce que je la soupçonne d'être la personne qui me veut du mal.

Dommage que nous n'allions pas à la même école. Je pourrais lui emprunter ses notes et le tour serait joué. À court d'idées, je téléphone à Marjorie. Peut-être pourra-t-elle m'aider.

— Allô ? fait une petite voix, à l'autre bout du fil.

— Salut, Claire ! C'est Jessie.

— Salut !

— Marjorie est-elle à la maison ?

— Oui, répond Claire sans me demander si je veux lui parler.

C'est normal. Avec les enfants de son âge, il faut procéder étape par étape.

— Est-ce que je peux lui parler?

— Oui, fait Claire avant de laisser tomber le téléphone par terre.

Après quelques minutes, quelqu'un prend le récepteur. C'est Nicolas.

— Qui est à l'appareil? demande-t-il.

— Bonjour, Nicolas, c'est Jessie.

— Salut, Jessie! Hé, tu sais quoi? Frodo va participer à un concours d'animaux!

Contrairement à Becca, le fait de n'avoir qu'un hamster à inscrire au concours ne semble pas l'affecter. Il paraît tout excité. Nous bavardons pendant quelques minutes, puis Marjorie décroche dans la cuisine.

— Bon, Nicolas, tu peux raccrocher maintenant.

Nous attendons quelques secondes, mais Nicolas ne raccroche pas. On l'entend respirer.

— Nicolas! fait Marjorie. Je vais te donner dix cents si tu raccroches tout de suite.

Clic!

— Qu'est-ce qui se passe? demande Marjorie.

— J'ai besoin de ton aide, dis-je. J'ai beau réfléchir, je ne trouve pas le moyen de piéger Stéphanie.

— Hum, fait Marjorie. Tu dois être très discrète. Il ne faut pas que Stéphanie se doute que tu la soupçonnes.

— Je ne crois pas qu'elle se doute de quelque chose. Je n'ai rien changé dans mon attitude à son égard.

— Parfait! de dire Marjorie. A-t-elle un défaut dont on pourrait tirer avantage?

— Hum, elle est assez vaniteuse, dis-je en pensant à

tout le temps qu'elle passe à s'admirer dans la glace.

— Bon, comment pourrait-on exploiter cette vanité? demande Marjorie.

— Je pourrais peut-être lui dire que je pense qu'elle ferait une meilleure princesse Aurore que moi. Elle est tellement prétentieuse qu'elle serait entièrement d'accord et cela prouverait qu'elle a essayé de m'évincer pour avoir le rôle!

— Jessie, ça ne prouverait rien, sauf le fait de se croire meilleure danseuse que toi. Il faut trouver autre chose.

— Et si je la prenais par surprise en lui disant quelque chose comme: «Merci de m'avoir envoyé tous ces gentils messages!» Elle aura l'air tellement bouleversée qu'elle se trahira elle-même.

— Ça pourrait fonctionner, convient Marjorie, mais il te faudrait des témoins. Et si elle nie tout, tu auras bousillé toutes tes chances.

Marjorie a raison. Malheureusement, j'ai beau me creuser la cervelle, aucune idée ne me vient à l'esprit. Nous bavardons encore quelques minutes, puis nous raccrochons.

Après le repas, je suis en train d'aider tante Cécile à faire la vaisselle quand soudain: Eurêka!

— Oui, c'est ça! dis-je à voix haute.

Tante Cécile me dévisage.

— De quoi parles-tu, Jessie? demande-t-elle.

J'aurais envie de me confier à elle, mais je sais que c'est mieux de ne pas le faire. Je n'ai pas parlé du fantôme à mes parents, ni à tante Cécile pour ne pas les inquiéter.

— Oh, de rien, tante Cécile. Je pensais à quelque

chose, c'est tout. Est-ce que je peux aller faire mes devoirs, maintenant ?

— Oui, de toute façon, nous avons terminé, répond-elle en me regardant attentivement, comme si elle se doutait de quelque chose. Tante Cécile est très perspicace. On peut difficilement lui cacher quoi que ce soit.

Une fois dans ma chambre, je réfléchis à mon plan. Voici ce que j'ai imaginé : Stéphanie cherche toujours l'approbation de madame Noëlle. Bien sûr, nous sommes toutes ainsi, mais dans le cas de Stéphanie, c'est presque maladif. Elle a vraiment besoin de sentir l'encouragement de madame Noëlle. Je pense que c'est peut-être à cause de sa mère.

Quoi qu'il en soit, je peux utiliser cette faiblesse pour tendre un piège à Stéphanie. Je n'ai qu'à prétendre que madame Noëlle veut lui faire faire quelque chose et ensuite, elle agira sans réfléchir.

Je dois absolument l'inciter à écrire pour savoir si elle possède vraiment une plume à calligraphie. Et ce doit être quelque chose d'urgent pour qu'elle n'ait pas le temps de se poser des questions. Mais qu'est-ce que je pourrais lui faire écrire ? Une affiche ! Dans ma tête, je vois déjà la scène. Stéphanie écrit quelques lignes, puis elle réalise qu'elle vient de se trahir. Elle passe aux aveux, s'excuse et me supplie à genoux de garder le silence. Mais moi, je vais trouver madame Noëlle avec mes preuves, et Stéphanie est expulsée de l'école de danse. Fin.

Je sais bien que la dernière partie ne se réalisera pas. Tout au plus, madame Noëlle servira un avertissement sévère à Stéphanie. Cependant, je suis certaine que mon plan fonctionnera.

Soulagée, je commence mes devoirs. Je ne peux pas me permettre de prendre du retard à l'école, même si les répétitions me demandent beaucoup de temps. Je viens à peine d'ouvrir mon livre d'histoire quand on frappe à ma porte.

— Entrez !

— Est-ce que je peux te parler ? demande Becca en ouvrant doucement la porte.

— Bien sûr, Becca. De quoi veux-tu parler ?

Elle semble contrariée et je réalise soudain que je ne lui ai pas accordé beaucoup d'attention ces derniers temps. J'étais trop prise par mon histoire de fantôme. Je ferme donc mon livre et je l'invite à s'asseoir.

— Je ne veux pas aller au concours, dit-elle en fixant ses souliers.

— Et pourquoi ? Tous les enfants y vont. Et puis, ce sera amusant.

— Moi, je ne m'amuserai pas si je ne gagne pas de prix.

— Mais qu'est-ce qui te fait dire que tu ne gagneras pas de prix ? Agathe est magnifique.

— Je sais, mais ce n'est qu'un hamster. Comment peut-elle gagner quand les autres ont des animaux bien plus intéressants ?

— Qui donc a des animaux si intéressants ?

— Charlotte, par exemple. Elle va inscrire Carotte et il sait faire toutes sortes de trucs.

Charlotte Jasmin est la meilleure amie de Becca. Nous la gardons régulièrement. Et c'est vrai que son chien, Carotte, est mignon.

— Et David va faire participer Zoé. Je suis sûre que son animal va gagner un prix.

— Becca, dis-je, il y aura toutes sortes d'animaux au concours et tous ont des chances égales. Tu sais, le frère d'Agathe participe au concours et Nicolas, Vanessa, Margot et Claire ne s'inquiètent pas au sujet des prix. Ils sont contents de participer, c'est tout. Et Léonard Papadakis va inscrire une tortue! Tu ne trouves pas ça amusant?

Becca secoue la tête, refusant de sourire. Je lui parle encore pendant quelques minutes sans réussir, toutefois, à lui faire comprendre que ce n'est pas si important de gagner un prix. Finalement, je l'embrasse en lui disant que c'est l'heure du coucher. Pauvre elle! Elle voudrait tant gagner un prix.

Pendant que je la borde dans son lit, il me vient une autre idée. En sortant de sa chambre, je descends directement à la cuisine et je prends le téléphone.

— Allô, Christine? Je viens d'avoir une idée *géniale*!

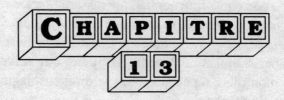

CHAPITRE 13

Le lendemain, à l'école, je fais part de mon plan à Marjorie pendant que nous dînons.

— Crois-tu que ça va fonctionner? dis-je.

— Je ne sais pas, répond celle-ci. Il faudra que tout soit bien synchronisé si tu veux la surprendre seule dans le vestiaire.

— Tu as raison. Et je ne veux pas arriver en retard à la répétition, non plus.

— Peut-être que tu devrais appliquer ton plan *après* la répétition. Est-ce que Stéphanie a l'habitude de prendre beaucoup de temps pour se changer?

Je fais signe que oui.

— Super! Tu ne penses pas que tu aurais plus de chance?

En effet. C'est bien de réviser mon plan avec quelqu'un d'autre. Nous passons le reste de la période du dîner à revoir chaque détail, jusqu'à ce que le plan soit parfait.

— Quand a lieu la prochaine répétition? demande Marjorie au moment où la cloche sonne.

— Pas avant jeudi, dis-je.

Je ne peux pas croire que je devrai attendre aussi long-temps. Nous ne sommes que mardi.

— Ne t'inquiète pas. Ton plan est excellent et je suis certaine que ça va fonctionner, me rassure Marjorie.

Je voudrais bien être aussi convaincue qu'elle. C'est difficile de ne pas s'inquiéter. C'est ma seule chance d'attraper Stéphanie. Pendant les jours qui suivent, je révise mon plan, répétant ce que je dirai et imaginant la réaction de Stéphanie.

Je suis sûre que mes parents et tante Cécile ont remarqué que je ne suis pas dans mon état normal. Mais je pense qu'ils mettent ça sur le compte de ma nervosité au sujet du spectacle qui approche.

Quant à la pauvre Becca, je suis trop préoccupée pour la réconforter. Le concours d'animaux a lieu cette fin de semaine et je suis contente d'apprendre qu'elle a décidé d'y participer malgré tout. Cependant, elle cherche un moyen de rendre Agathe « spéciale ». Une journée, je dois même l'arrêter alors qu'elle essaie d'enfiler l'une de ses robes de Barbie sur la pauvre Agathe.

La nuit, je fais toutes sortes de cauchemars. Je rêve que mon plan ne fonctionne pas, que Stéphanie se trans-forme en monstre lorsque je l'accuse, et qu'elle me fait subir sa vengeance.

Jeudi, enfin. En entrant au vestiaire, je m'aperçois immédiatement que Stéphanie n'est pas là. Ah non ! Ne me dites pas que je vais être obligée d'attendre encore avant d'exécuter mon plan !

Fort heureusement, Stéphanie arrive en coup de vent au moment où je m'apprête à sortir du vestiaire.

— Est-ce que je suis en retard? demande-t-elle.

— Non, mais dépêche-toi. Madame Noëlle vient tout juste d'annoncer qu'elle est prête à commencer.

J'empoigne mes pointes et je cours jusque sur la scène. Stéphanie me suit de près.

— Il ne reste plus que quatre répétitions avant le spectacle, mesdemoiselles. Je vous demande de bien vous concentrer, dit madame Noëlle en me regardant droit dans les yeux.

Malheureusement, ma concentration fait grandement défaut, aujourd'hui. Pendant que nous nous échauffons à la barre, je me trompe et, levant la jambe dans la mauvaise direction, je manque de faire tomber Élise.

— Excuse-moi, dis-je tout bas.

— Ne t'en fais pas, chuchote celle-ci. Moi aussi, je serais nerveuse si j'interprétais la princesse Aurore.

Ce qu'elle ne sait pas, c'est que mon rôle n'a rien à voir avec ma nervosité. J'essaie de ne plus penser à Stéphanie, car si madame Noëlle s'aperçoit que je suis distraite, elle sera furieuse. Le reste de la répétition se déroule sans incident majeur. Mais alors que le moment de ma confrontation avec Stéphanie approche, je suis de plus en plus nerveuse. Que vais-je faire si elle ne tombe pas dans le piège que je lui tends? Et si elle n'avait pas sa plume spéciale avec elle? Et si...

— Vous pouvez aller vous changer, mesdemoiselles, déclare madame Noëlle. Jessica Raymond, je voudrais vous parler.

Oh non! Elle va sûrement me dire que j'ai très mal dansé aujourd'hui. Va-t-elle m'enlever le rôle? J'attends que les autres soient parties et je vais la retrouver à côté du tourne-disque.

— Oui, madame?

— Jessie, est-ce que tout va bien? Je m'inquiète à votre sujet.

Pendant une fraction de seconde, j'ai envie de tout lui raconter. Je ne sais pas ce qui me retient.

— Je… Ça va. Je sais que je ne danse pas particulièrement bien ces derniers temps. Je suis vraiment désolée.

— Même Anna Pavlova avait ses mauvais jours, me dit-elle en souriant.

Anna Pavlova est probablement la plus grande ballerine de tous les temps. Toutes les danseuses, y compris moi-même, rêvent de devenir «une autre Pavlova». Mais ce n'est pas le temps de rêver. Je dois m'en aller si je veux trouver Stéphanie au vestiaire.

— Est-ce que je peux partir, maintenant?

— Oui. Mais Jessie, si quelque chose vous tracasse, vous savez que vous pouvez m'en parler.

— Merci! dis-je avant de quitter la scène en courant.

En arrivant dans le corridor, je m'arrête un instant pour reprendre mon souffle. C'est le moment que j'attends depuis longtemps. Je vais enfin démasquer le fantôme. J'ouvre la porte et je jette un rapide coup d'œil dans le vestiaire. Il est vide. J'ai raté ma chance.

Soudain, quelqu'un tousse. En me retournant, j'aperçois Stéphanie devant la glace.

— Stéphanie! Heureusement que tu es encore là!

— Pourquoi? demande-t-elle en me dévisageant avec curiosité.

J'essaie de faire comme si j'étais à bout de souffle, ce qui n'est pas difficile. Je suis tellement nerveuse que mon cœur bat à cent à l'heure.

— C'est madame Noëlle. Elle veut que tu rédiges une affiche pour elle. Le concierge a répandu quelque chose dans l'escalier et elle a peur que quelqu'un glisse et se blesse avant qu'on ait eu le temps de nettoyer.

— Une affiche ? répète Stéphanie d'un ton sceptique.

— Oui, oui. Elle veut absolument que ce soit toi qui la fasses. Je ne sais pas pourquoi.

— Bon, qu'est-ce que je dois écrire ?

— Je ne sais pas. Quelque chose comme : « Attention ! Marches glissantes ! »

— Ça ne devrait pas être trop difficile, dit Stéphanie. Je vais lui faire une belle affiche à madame Noëlle.

Je pousse un soupir de soulagement. Puis, j'aperçois le stylo qu'elle sort de son sac. C'est un stylo à bille bleu ordinaire.

— N'oublie pas, dis-je. Il faut que ça accroche l'œil, que ça soit bien visible.

Stéphanie regarde le stylo qu'elle a dans la main, et le remet dans son sac. Elle fouille quelques secondes et sort enfin la fameuse plume rouge. D'où je suis, je ne peux pas voir son écriture. En attendant, je commence à me changer en affectant un air détaché. Mais à l'intérieur, mon cœur bat à tout rompre.

— Tiens, dit-elle lorsqu'elle a terminé. Qu'est-ce que tu en penses ?

Je m'approche et je prends l'affiche dans mes mains. Un seul coup d'œil confirme mes soupçons. C'est la même écriture, il n'y a pas de doute.

— JE T'AI EUE ! crié-je.

— Quoi ? bafouille-t-elle, blanche comme un linge.

— C'est toi qui m'envoyais tous ces billets. Je le sais

maintenant. C'est la même écriture et la même plume.

— Quels billets? demande Stéphanie en plissant les yeux. Je ne t'ai jamais envoyé de billet. Essaie de convaincre madame Noëlle, pour voir. Ce sera ta parole contre la mienne. Et elle ne te croira pas. Tu ne peux rien prouver.

— Oh si. J'ai conservé tous les billets que tu m'as envoyés. N'importe qui verra que l'écriture est la même que sur l'affiche.

— Et après? Pourquoi aurais-je fait ça?

— Parce que tu voulais me faire assez peur pour que j'abandonne le rôle de la princesse Aurore. Tu croyais avoir une chance de l'obtenir s'il y avait une autre audition.

— Je ne suis pas la seule qui voulait te voir abandonner, dit Stéphanie.

— Oui, je sais. Marie-Claude et Karine mouraient d'envie d'avoir ce rôle. Mais Karine était absente lorsque j'ai reçu un de tes billets, et Marie-Claude m'a sauvée lorsque tu as fait tomber un décor sur moi.

— Le décor? Ce n'est pas moi. C'est un accident, je le jure. Je n'avais pas l'intention de te blesser gravement.

En disant ces paroles, elle réalise qu'elle vient d'avouer sa culpabilité. Aussitôt, c'est la panique.

— S'il te plaît, Jessie, ne dis rien à madame Noëlle! Ma mère sera furieuse si je me fais expulser de l'école!

— C'est à cause de ta mère que tu as fais tout ça, n'est-ce pas?

— C'est tellement important pour elle que je devienne une grande danseuse, répond Stéphanie en hochant la tête. Je travaille comme une folle pour ne pas la décevoir. Mais ça ne suffit pas. Tu es bien meilleure que moi et c'est pour ça que tu as décroché le rôle. Elle ne veut pas le comprendre. Je te promets que je ne te ferai plus rien, Jessie, ajoute-t-elle, les yeux pleins d'eau. Plus de billets, plus d'accidents. Je vais te rembourser les maillots que j'ai ruinés. Je t'en supplie, ne le dis pas à madame Noëlle !

Je ne sais trop quoi faire. Stéphanie me fait pitié, à cause de sa mère. Mais je suis encore en colère contre elle. Je réfléchis pendant une minute. Rien ne me garantit qu'elle ne me jouera pas un de ses vilains tours pendant une répétition ou même pendant le spectacle. Mais comme j'ai des preuves de ses agissements, elle n'osera probablement pas. De plus, je me dis qu'elle a assez souffert en subissant les pressions de son ambitieuse de mère.

— D'accord, dis-je finalement. Mais n'oublie pas que j'ai des preuves de ce que tu as fait et si tu essaies quoi que ce soit d'autre, tu sais ce qui t'attend !

Stéphanie est extrêmement reconnaissante et va même jusqu'à me donner sa plume à calligraphie.

— Tiens, prends-la. Je n'en aurai plus besoin, dit-elle avant d'aller retrouver sa mère.

Une fois seule, je me laisse tomber sur le banc. Je suis complètement vidée, mais heureuse. J'ai enfin démasqué mon fantôme. J'espère seulement que j'ai pris la bonne décision en acceptant de ne pas la dénoncer. Et si elle décidait de me faire quelque chose le soir de la première ? Rien que pour le plaisir de me rendre ridicule devant les centaines de personnes qui assisteront au spectacle. En allant retrouver mon père, j'essaie de chasser cette pensée de mon esprit. Je devrais être satisfaite. Après tout, le mystère a été résolu.

CHAPITRE 14

Samedi

Eh bien, au moins il a fait beau pour le concours. Imaginez s'il avait plu! En tout cas, je me suis beaucoup amusée, aujourd'hui. Cependant, je ne pense pas qu'on devrait faire de ce concours un événement annuel. Cela a suscité un peu trop de compétitivité chez les enfants. Jessie, la journée a été un succès grâce à ton idée. Chacun est reparti heureux et comblé.

Le jour du concours, Sophie garde Charlotte Jasmin. Elles arrivent donc tôt chez Diane et Anne-Marie afin de donner un coup de main aux autres. Naturellement, Charlotte a emmené Carotte avec elle. On voit tout de suite que le petit schnauzer a pris un bain et qu'il a été méticuleusement brossé. Il porte un collier rouge tout neuf et la laisse que Charlotte tient dans sa main est neuve, elle aussi.

Toutes les membres, sauf Christine qui n'est pas encore arrivée, s'affairent à monter des tables pour les juges et le goûter. Comme Charlotte veut nous aider, Sophie attache Carotte à un arbre.

— Fais le bon chien, lui dit Charlotte.

Celui-ci aboie deux fois en guise de réponse, puis se roule en boule pour faire une petite sieste.

À l'aide de gros cailloux, nous formons un cercle devant la table des juges. C'est là que défileront les concurrents. Les juges officiels du concours sont Sophie, Claudia et Diane. Les autres ont été éliminées pour éviter toute partialité. En effet, je ne peux pas être juge à cause d'Agathe. Avec Karen, David et André qui présentent chacun un animal différent, Christine est automatiquement exclue. Quant à Marjorie, elle ne peut pas à cause de Frodo. Et nous avons décidé qu'Anne-Marie serait trop partiale à l'endroit des chats vu sa grande affection pour son chat Tigrou. Nous venons tout juste de finir de préparer la table des rafraîchissements quand un klaxon résonne en avant de la maison. Quelques secondes plus tard une véritable procession arrive dans la cour. Charles mène la marche (Émilie sur ses épaules) avec Sébastien. Ils seront les spectateurs. Vient ensuite Christine qui aide David à tenir Zoé en laisse. Puis, Karen apparaît en transportant fièrement la cage qui contient Émilie junior, le rat. Suit André, traînant Minni derrière lui.

Karen dépose la cage sur une table et Sophie se penche pour admirer Émilie junior.

— Qu'est-ce qu'il a sur la tête ? demande-t-elle, perplexe.

— Des oreilles de Mickey ! répond fièrement Karen. C'est son costume.

En effet, Karen a dessiné et découpé une paire d'oreilles noires et les a collées sur la tête du rat.

— C'est très original, Karen, fait Sophie en se retenant de rire. Oh, et toi, André, tu as emmené Minni ? Quel mignon petit chien !

— Il est mignon, hein ? fait André en souriant d'une oreille à l'autre. Il ne connaît pas de trucs, mais c'est quand même le plus beau chien du monde !

Voilà que la voiture des Papadakis s'arrête dans l'allée de garage. En descendent Annie et Léonard avec Pat la Chatte et Myrtille la tortue. Celle-ci arbore une carapace fraîchement peinte. Madame Papadakis a aussi emmené Simon et Timothée Hébert. Comme ils semblent plutôt démoralisés, Christine les invite à aller s'asseoir avec Charles et Sébastien.

— Je suis heureuse que vous soyez là, dit-elle. Nous avons besoin d'un public.

Les deux frères lui adressent un petit sourire tout en regardant les animaux de leurs amis avec envie. Sophie m'a dit plus tard qu'elle avait le cœur gros en les voyant. Comme elle n'a jamais eu le droit d'avoir d'animal, elle non plus, elle comprend ce qu'ils ressentent.

Arrivent ensuite les Demontigny. Amanda tient Priscilla, toute bichonnée comme d'habitude. Mais Maxime nous réserve une surprise. Il transporte un énorme chat à l'air béat. Bou-Bou!

Sophie interroge Christine du regard.

— C'est bizarre, n'est-ce pas? explique Christine. On dirait que Bou-bou a eu le coup de foudre pour Maxime. Tu devrais l'entendre ronronner quand Maxime le caresse... Mais qu'est-ce que c'est que cette odeur? demande-t-elle soudain en reniflant.

— On dirait le parfum que ma mère porte lorsqu'elle sort, dit Sophie. Je pense que ça s'appelle Diorissimo ou quelque chose du genre. Mais qui peut bien porter ce parfum en plein jour? Maman le réserve pour les grandes occasions.

— C'est Priscilla, déclare fièrement Amanda. Elle sent bon, hein?

La pauvre chatte a été tellement aspergée de parfum qu'on ne peut s'en approcher sans avoir la nausée.

La cour commence à se remplir de monde et d'animaux. On peut entendre beaucoup de jappements et de miaulements alors que les animaux font connaissance. Cherchant Charlotte du regard, Sophie l'aperçoit devant l'arbre où était attaché Carotte. Mais le chien n'est plus là et Charlotte est au bord des larmes.

— Ne t'en fais pas, Charlotte. Nous allons le retrouver, la rassure Sophie.

Elles commencent donc à faire le tour de la cour tandis que Charlotte appelle son chien d'une voix larmoyante.

— Le voilà! crie soudain Sophie.

Carotte est avec Hélène et Matthieu Biron que Sophie

n'avait pas vus arriver. Matthieu tient la laisse de Carotte et Hélène exhibe une affiche sur laquelle est écrit :

MAÎTRES-CHIENS OFFICIELS. NOUS GARDONS VOTRE ANIMAL PENDANT QUE VOUS VOUS REPOSEZ.

— C'est une merveilleuse idée, les amis ! s'exclame Sophie en s'approchant. Mais il faudrait d'abord demander la permission aux propriétaires des animaux que vous gardez. Charlotte était très inquiète.

— Je suis désolée, répond Hélène après avoir fait signe à Matthieu de rendre Carotte à sa jeune maîtresse. On voulait juste aider. Carotte avait l'air de s'ennuyer tout seul, attaché à cet arbre.

— Je comprends, fait Sophie en souriant. Quoi qu'il en soit, je suis contente que vous ayez trouvé un moyen intéressant de participer au concours. Allons voir ensemble si quelqu'un a besoin de vos services.

En allant retrouver les autres enfants, Sophie aperçoit les jeunes Picard. Les triplets transportent un énorme paquet.

— Qu'est-ce que c'est ? demande Sophie.

— Rien, répondent Antoine et Bernard d'une même voix.

— On allait juste le déposer ici, déclare Joël en désignant un buisson sur le côté de la maison.

— D'accord, fait Sophie en haussant les épaules. Et vous autres, qu'est-ce que vous avez là ? demande-t-elle à Nicolas, Claire et Margot qui font cercle autour d'une petite boîte.

Vanessa se tient à l'écart, comme si elle voulait se dissocier de son frère et de ses sœurs.

— Frodo, répond Nicolas.

— Et attends de voir ce qu'ils lui ont fait, ajoute Vanessa. Montre-le à Sophie, dit-elle à Nicolas.

Nicolas soulève le couvercle de la boîte. Sophie s'approche et ne peut réprimer un sursaut.

— Mais qu'est-ce que c'est que cette chose verte? s'informe-t-elle, passé le premier moment de surprise.

— Frodo! déclare fièrement Nicolas.

— Ils se sont servis du colorant à gâteau de maman, indique Vanessa en roulant des yeux. Le croirais-tu?

— Il est vraiment différent, remarque Sophie en éclatant de rire.

— Oui, il est vraiment différent, répète Becca qui vient juste d'apparaître derrière Nicolas. Je n'ai pas pensé à faire ça, dit-elle en jetant un regard envieux sur la fourrure verte de Frodo.

— Mais ton Agathe est bien jolie, dit Sophie en caressant le pelage soyeux du hamster que Becca tient dans ses bras. Oh, voilà les Barrette avec Salami.

Effectivement, Bruno et Suzon arrivent en tenant Salami en laisse. Le pauvre est couvert de boucles roses et a l'air un peu ridicule. Mais Bruno et Suzon, eux, semblent extrêmement satisfaits de leurs efforts. Sophie a à peine le temps de les saluer que Christine et Diane viennent la retrouver en courant.

— As-tu vu Myrtille? demande Christine. Elle a disparu et Léonard est dans tous ses états!

Des recherches sont immédiatement organisées. On confie chats et chiens à Matthieu et Hélène pendant que l'on fouille la cour et ses nombreux recoins. Finalement, Timothée trouve Myrtille, au grand soulagement de Léonard. La tortue prenait un bain de soleil parmi les cailloux formant le cercle de parade, sa carapace peinte se confondant avec les pissenlits.

— Merci, Timothée, dit Léonard. Écoute, si tu veux, tu peux être copropriétaire de Myrtille. Mais aujourd'hui seulement.

Timothée hoche la tête joyeusement, mais son sourire s'efface lorsqu'il regarde son frère qui, lui, n'a aucune raison de se réjouir.

— Simon, puisque tu es mon ami, nous pouvons partager Pat la chatte, offre Annie.

Gabrielle et Myriam arrivent en dernier. Il semble qu'elles ont passé la matinée à courir après Choubaco.

— Je crois que le concours peut maintenant commencer, annonce Christine d'une voix forte.

Nous aidons alors les enfants à se regrouper pour parader devant les juges avec leurs animaux. Après la parade, chacun fera une brève apparition dans le cercle et ensuite, les juges délibéreront. Puis, on passera à la remise des prix.

Le silence s'installe pendant que les enfants et leurs animaux défilent devant les juges et on sent la tension monter lorsque chaque animal est présenté dans le cercle des juges.

Tout le monde avait oublié l'animal mystère des triplets, jusqu'à ce qu'Antoine mentionne aux juges qu'il y a une inscription de dernière minute. Il court jusqu'au buisson et en ressort en tirant... un poney ! Joël et Bernard sont déguisés en cheval, l'un formant la partie postérieure de l'animal et l'autre, le devant. Pendant qu'Antoine parade dans le cercle, le poney trotte, caracole et gigue au milieu des éclats de rire des autres enfants et des juges.

Pendant que les juges se consultent, Christine entraîne les enfants vers la table des rafraîchissements. Becca est tellement nerveuse qu'elle en oublie de manger. Mais elle n'a pas à s'inquiéter, car grâce à mon idée, chacun des animaux recevra un prix soulignant un élément qui lui est propre.

Ainsi, Frodo gagne le prix de « La couleur la plus originale », et Priscilla remporte celui du « Parfum le plus tenace ». Naturellement, le prix de « L'animal le plus intelligent » va à Carotte. « L'animal le plus drôle » est attribué aux triplets, tandis que Zoé remporte le prix du « Plus gros animal », et Minni, celui du « Plus gentil ». Myrtille remporte un prix pour « La plus belle carapace ». Karen est au septième ciel quand son rat obtient le prix du « Meilleur costume » et Annie et Simon sont heureux du prix « Plus adorable » que mérite Pat la chatte.

Salami gagne le prix « Les pattes les plus courtes » et Myriam et Gabrielle éclatent de rire en apprenant que Choubaco est « L'animal le plus fort ». Bou-bou remporte le prix de « La meilleure personnalité » et même Matthieu et Hélène reçoivent le titre honorifique de « Meilleurs maîtres-chiens ». Vous vous demandez sûrement ce que Agathe a gagné ? Je suis certaine que son ruban occupera une place d'honneur dans la chambre de Becca. Voici ce qu'il dit : « Le meilleur de tous les animaux ».

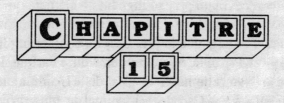

CHAPITRE 15

Soir de première ! Nous y voilà, enfin.

La répétition générale qui a eu lieu un peu plus tôt cette semaine a permis de régler certains détails. Mon tutu, par exemple. Je pense qu'on avait confondu mes mesures avec celles de Dumbo l'éléphant. Mais heureusement, tante Cécile n'a pas eu de difficulté à faire les retouches nécessaires et le soir de la première, mon tutu me va à merveille.

— Mets-le encore une fois, supplie Becca qui adore me voir habillée en « vraie » ballerine.

— Je n'ai plus le temps, Becca. Tu me verras sur scène. Mais n'oublie pas. Tu ne dois pas parler pendant que je danse.

Une fois, lorsque Becca était plus jeune et que je dansais dans *Casse-Noisette*, elle avait crié: « Allô, Jessie ! » au moment où j'entrais en scène. Tout le monde avait éclaté de rire et moi, j'avais failli mourir de honte.

— Je ne dirai pas un mot, c'est promis. Mais toi, n'oublie pas que tu as promis de me donner tes pointes après le spectacle.

En effet, j'ai promis d'y apposer mon autographe et de les lui donner en souvenir. C'est ce que font les grandes ballerines pour leurs admirateurs. Habituellement, les chaussons à pointes ne durent pas plus d'un ou deux spectacles.

— Tu es prête, Jessie? Tes amies sont ici, crie maman.

En regardant par la fenêtre, j'aperçois l'auto de Charles devant la porte. Il a accepté de conduire mes amies au spectacle, mais je me demande ce qu'elles font ici, puisque j'y vais avec mes parents. Je cours leur ouvrir la porte.

— Wow! Vous êtes belles! dis-je en les voyant.

— Toi aussi, répond Christine.

J'ai mis ma robe de velours noire. Je voulais quelque chose de chic pour porter après le spectacle. Claudia est ravissante dans une mini-robe bleu nuit. Elle porte des sandales argent lacées sur les chevilles, comme des chaussons de ballet.

Sophie est en smoking! Oui, oui, un vrai smoking. Christine a mis une robe pour une fois et ça fait tout drôle de la voir sans ses jeans et son col roulé. À côté d'elle, Marjorie est resplendissante dans son chemisier et sa jupe des grandes occasions. Diane et Anne-Marie ont dû échanger leurs vêtements, parce que je reconnais la nouvelle robe fleurie d'Anne-Marie sur Diane, et la combinaison rose de Diane sur Anne-Marie.

— Nous sommes venues te souhaiter bonne chance, dit Marjorie. Nous avons toutes hâte de te voir danser.

— Et ne t'en fais pas au sujet de tu-sais-qui, ajoute Diane. Je suis certaine que tu n'as rien à craindre d'elle.

J'aimerais partager cette certitude. Malheureusement, je suis toujours inquiète au sujet de Stéphanie. Ça ne prendrait pas grand-chose pour gâcher ma performance et me ridiculiser devant le public. Je ne lui fais pas confiance.

— Merci d'être venues, les filles. Je vous vois après le spectacle. Vous êtes invitées dans la loge.

Lorsque mes amies sont parties, Becca m'entraîne dehors, vers la voiture.

— J'ai une surprise pour toi. Mais je ne peux rien dire. J'ai promis.

Je monte dans la voiture pour attendre papa, maman et tante Cécile, puis j'en redescends aussitôt. J'ai oublié de dire bonsoir à Jaja! C'est Louis Brunet qui le garde. Ainsi, toute ma famille peut assister à la première. Je fais une grosse caresse à Jaja et nous partons. Une fois au Centre des Arts, je dis au revoir à mes parents devant l'entrée des artistes.

Avant un spectacle, c'est toujours la panique dans les coulisses. Les gens courent à droite et à gauche en criant toutes sortes de directives. Certaines de mes compagnes de classe sont déjà habillées et s'échauffent sur les côtés de la scène. Dans la fosse d'orchestre, les musiciens accordent leurs instruments.

Discrètement, j'écarte le rideau et je jette un coup d'œil dans la salle. C'est bondé! Où est ma famille? Ah, la voilà, au milieu de la troisième rangée. Mes amies sont juste derrière.

Il est maintenant temps d'aller me changer. Dans la loge, j'enfile mon costume avec soin. Après avoir tressé mes cheveux, je fixe une couronne de roses sur ma tête. Plus tard, cette couronne sera remplacée par un diadème en (faux) diamants.

Je suis en train de me maquiller quand j'aperçois Stéphanie qui m'observe dans le miroir. Elle esquisse un sourire timide.

— Bonne chance, dit-elle. Tu es très belle.

— Merci, dis-je avec méfiance. Toi aussi.

Est-elle vraiment sincère ?

Je termine mon maquillage, puis je me regarde une dernière fois dans la glace. Mais est-ce bien là Jessie Raymond, jeune gardienne de onze ans ? À sa place, je vois une ravissante ballerine. C'est à peine si je me reconnais moi-même.

— Cinq minutes ! crie quelqu'un dans le corridor.

Mon Dieu ! Je ne suis même pas échauffée ! Mais où ai-je donc la tête ? J'ai tout le premier acte pour m'échauffer. Mes pointes à la main, je cours jusqu'au côté jardin. Toutes les danseuses qui jouent dans le premier acte sont déjà en place sur la scène. C'est le lever du rideau. L'orchestre attaque les premières mesures, et le ballet commence.

Après avoir chaussé mes pointes, je suis le ballet tout en faisant quelques exercices d'assouplissement. Pendant les répétitions, j'étais tellement occupée à travailler mes pas que j'ai presque oublié la merveilleuse histoire de *La Belle au bois dormant*. À la fin du premier acte, les fées sortent de scène en courant et j'entends les premières mesures du «Rose Adagio». C'est à moi, maintenant.

Je commence à danser et, aussitôt emportée par la musique, j'oublie tout. J'oublie ma nervosité. J'oublie Stéphanie. J'oublie Becca qui peut crier mon nom à tout moment.

À la fin du deuxième acte, la méchante fée revient sur

scène et m'offre un fuseau. Je me pique le doigt et je tombe endormie. Les autres danseuses me déposent sur un lit et la forêt enchantée pousse autour de moi pendant mon sommeil.

Je danse ensuite pour le prince qui vient à ma recherche cent ans plus tard. Il voudrait danser avec moi, mais comme il me voit en rêve, j'échappe toujours à son étreinte.

J'ai ensuite un petit répit pendant que la Fée des lilas conduit le prince vers le château. Lorsqu'il me trouve enfin, il me donne un baiser et je ne pouffe pas de rire. Je danse alors avec toutes les créatures de ce conte de fée, y compris Karine qui interprète l'Oiseau bleu.

À la fin, je danse de nouveau avec le prince qui est devenu mon époux. La musique est si belle que je pourrais danser sans jamais m'arrêter. Mais bientôt, la musique se tait et c'est la fin du spectacle. Karine vient m'embrasser dès la chute du rideau.

— Tu as été formidable ! s'exclame-t-elle.

— Et toi aussi ! Crois-tu qu'ils ont aimé notre ballet ?

Les applaudissements ont éclaté aussitôt que la musique a cessé et ils ne diminuent pas d'intensité, même après le premier rappel. Au deuxième rappel, Karine me pousse devant les autres danseurs. J'exécute une révérence et les applaudissements redoublent. J'entends Christine siffler et mon père crier «Bravo!» Dans la coulisse, madame Noëlle affiche un large sourire. Je sais qu'elle est fière de moi.

Devant moi, les gens se lèvent… mais ils ne s'en vont pas. Ils continuent d'applaudir. Ils se lèvent pour m'ovationner ! Je suis tellement émue que j'ai les larmes aux yeux. Et voilà Becca, les bras chargés de roses roses, qui gravit les marches menant à la scène.

Elle vient me remettre les roses en souriant.

— Surprise! souffle-t-elle.

Je la serre dans mes bras. Et voilà maintenant Marjorie, avec un autre bouquet de roses.

— De la part de toutes les membres du Club. Tu as été sensationnelle, Jessie.

Je reste là, incapable de parler, tenant mes fleurs et souriant au public jusqu'à la chute du rideau. Jamais je n'oublierai ce moment!

Le spectacle est vraiment terminé. Il est temps d'enlever mon maquillage et mon costume de princesse. En me rendant à la loge, je rencontre Stéphanie.

— Jessie, tu as été fantastique! s'exclame-t-elle.

— Merci. Toi aussi, tu as bien dansé. Tout le monde a donné une performance exceptionnelle. C'était merveilleux, n'est-ce pas?

J'ai presque oublié la peur qu'elle m'a causée avec ses mesquineries.

— Je tiens à m'excuser encore une fois, Jessie. Je regrette ce que j'ai fait. Et tu sais quoi? Après la série de représentations, je laisse la danse.

— Voyons, tu n'es pas sérieuse! dis-je, complètement estomaquée.

— Oui, répond-elle. Je n'ai pas ta passion pour la danse, Jessie. J'ai toujours dansé pour faire plaisir à ma mère et je n'ai jamais été aussi bonne qu'elle l'aurait voulu.

— Tu es une bonne danseuse, Stéphanie, dis-je incapable de l'entendre se déprécier ainsi.

— Je ne le serai jamais assez pour ma mère. J'ai compris que la situation était devenue impossible le jour où tu m'as démasquée dans le vestiaire. Je devais être devenue complètement folle pour agir comme je l'ai fait.

— Qu'est-ce que ta mère pense de ta décision?

— Je ne lui ai encore rien dit. Mais c'est ma vie et je dois pouvoir la vivre comme je l'entends.

— Eh bien, bonne chance, Stéphanie, dis-je en l'embrassant.

Mes amies du CBS m'attendent dans la loge. En me voyant, elles se précipitent sur moi pour m'embrasser et me féliciter.

— Est-ce que vous venez manger une crème glacée avec nous? dis-je après les avoir remerciées pour les fleurs. Papa a dit que je pouvais inviter mes amies à fêter après la représentation.

Évidemment, elles acceptent avec joie et lorsque je me suis changée, nous allons rejoindre ma famille dehors. Becca se jette dans mes bras et je lui donne les chaussons à pointes que j'ai portés durant le spectacle.

— Est-ce qu'il y a ton autographe dessus? me demande-t-elle.

— Bien sûr, dis-je en souriant à mes parents et à tante Cécile. Tiens, regarde.

Ce disant, je lui montre la semelle du chausson gauche sur laquelle j'ai écrit (à l'encre rouge, avec la plume à calligraphie): «Pour Becca, avec tout mon amour, de la princesse Aurore.»

Quelques notes sur l'auteure

Pendant son adolescence, ANN M. MARTIN a gardé beaucoup d'enfants, à Princeton, au New Jersey. Maintenant, elle ne garde plus que Mouse, son chat, qui vit avec elle dans son appartement de Manhattan, dans le centre de New York.

Elle a publié plusieurs autres livres dans la collection *Le Club des baby-sitters*.

Elle a été directrice de publication de livres pour enfants, après avoir obtenu son diplôme du Smith College.

43

UNE URGENCE POUR SOPHIE

Quatre gardiennes fondent leur club

Ann M. Martin

Adapté de l'américain par
Nicole Ferron

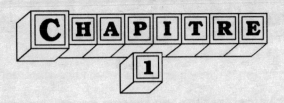

CHAPITRE 1

Je lève les yeux de mon devoir et regarde Charlotte Jasmin, la petite fille de huit ans que je garde.

Elle lit *La Presse*.

— Ça alors! s'exclame Charlotte.

— Quoi?

— On raconte ici qu'une femme a pris un fusil et qu'elle…

— Arrête! dis-je. Je ne veux rien entendre! Pourquoi lis-tu cela?

— Je ne sais pas. C'est dans le journal.

J'imagine que je ne peux pas en vouloir à Charlotte de lire un journal d'adulte, mais a-t-elle vraiment besoin de tout lire? Et surtout à haute voix?

— Et ici, dit de nouveau Charlotte, on écrit qu'un incendie a éclaté dans un gros hôtel et…

— Charlotte! Je ne veux vraiment pas savoir ce qui est écrit… D'accord?

— D'accord. En fait, je cherche des articles scientifiques. Oh! Il y en a un ici sur le diabète, Sophie!

— Vraiment?

Là, je suis intéressée. Je souffre moi-même de diabète, une maladie qui affecte le taux de sucre dans le sang.

Lorsque le niveau de sucre est trop élevé, on peut tomber très malade. Il y a différentes sortes de diabètes et différentes façons de le traiter. Certaines personnes y arrivent en suivant une diète pauvre en glucides. D'autres doivent se donner des injections tous les jours. (J'en fais partie. Je sais que ç'a l'air terrible, mais ma vie en dépend.) Ce sont des injections d'insuline que le pancréas (une glande de notre corps) produit pour éliminer le sucre. Lorsque l'insuline naturelle du corps ne fait pas correctement son travail, on doit aller chercher cette insuline à l'extérieur. Mais ça ne fonctionne pas toujours; l'insuline naturelle est plus efficace.

Je suis chanceuse d'une certaine façon puisque je peux prendre de l'insuline. J'imagine qu'avant que les médecins ne découvrent ce traitement, les gens devaient beaucoup souffrir. Mais je suis malchanceuse d'une autre façon : je souffre d'une forme sévère de diabète. Ça veut dire que mon diabète est difficile à contrôler. Je dois m'injecter de l'insuline *et* suivre une diète stricte. Et quand je dis stricte je dis stricte. Maman m'aide à compter mes calories. Il y a plusieurs sortes de calories, comme les protéines et les graisses, et nous devons les équilibrer. De plus, je dois tester mon sang plusieurs fois par jour. Comment je fais ça? Je me pique le doigt (je sais, vous devez penser que le diabète, c'est beaucoup de piqûres), puis je le pince pour en faire sortir une goutte de sang, je l'essuie sur un papier qu'on appelle papier réactif et je mets cette bande dans un appareil. Un chiffre apparaît sur un écran et il me dit si le niveau de sucre dans mon sang est trop élevé (parce que j'ai mangé un aliment qui contenait trop de sucre naturel, comme un fruit, ou que je n'ai pas assez d'insuline dans mon corps), trop bas (pas assez de sucre dans mon sang; tout le monde en a besoin), ou juste ce qu'il faut.

Voici un avant-goût de ce qui se passe dans certains autres livres de cette collection :

#25 *Anne-Marie à la recherche de Tigrou*

L'adorable petit chat d'Anne-Marie a disparu! Les Baby-sitters ont cherché Tigrou partout, mais il reste introuvable. Anne-Marie a alors reçu une lettre effrayante par la poste! Quelqu'un a enlevé son chat et exige une rançon de cent dollars! Est-ce une blague ou Tigrou a-t-il vraiment été enlevé?

#26 *Les adieux de Claudia*

Mimi vient de mourir. Claudia comprend qu'elle était malade depuis longtemps, mais elle en veut à sa grand-mère de l'avoir abandonnée. Maintenant, qui aidera Claudia à faire ses devoirs? Qui prendra le thé spécial avec elle? Pour éviter de penser à Mimi, Claudia consacre tous ses moments libres à la peinture et à la garde d'enfants. Elle donne même des cours d'arts plastiques à quelques enfants du voisinage. Claudia sait bien qu'elle doit se résigner et accepter le départ de Mimi. Mais comment dit-on au revoir à un être cher... pour la dernière fois?

#27 *Jessie et le petit diable*

Nouville a la fièvre des vedettes! Didier Morin, un jeune comédien de huit ans, revient habiter en ville et tout le monde est excité. Jessie le garde quelques fois et, même si les autres enfants le traitent de «petit morveux», elle aime bien Didier. Après tout, c'est un petit garçon bien ordinaire...

#28 Sophie est de retour

Les parents de Sophie divorcent. Sophie accepte difficilement cette situation et voilà qu'en plus, elle a un choix à faire : vivre avec son père ou avec sa mère ; vivre à Toronto ou à… Nouville. Quelle décision prendra-t-elle ?

#29 Marjorie et le mystère du journal

Sophie, Claudia et Marjorie découvrent une vieille malle au grenier de la nouvelle maison de Sophie. Tout au fond de la malle se cache un journal intime. Marjorie réussira-t-elle à percer le mystère du journal ?

#30 Une surprise pour Anne-Marie

Anne-Marie va vivre une expérience spéciale : le mariage de son père avec la mère de Diane. Les deux baby-sitters souhaiteraient une grande cérémonie avec les robes, les cadeaux et le gâteau qui vont de pair… Après tout, elles deviendront bientôt deux soeurs.

#31 Diane et sa nouvelle soeur

Diane a toujours rêvé d'avoir une soeur. Mais maintenant qu'elle et Anne-Marie vivent sous le même toit, Anne-Marie ressemble plutôt à une vilaine demi-soeur : elle se vante d'aller à la danse de l'école, son chat vomit sur la moquette, et elle accapare les gardes de Diane !

#32 Christine face au problème de Susanne

Même Christine ne peut déchiffrer les secrets de Susanne, une petite fille autistique qu'elle garde régulièrement. Christine réussira-t-elle à relever le défi qu'elle s'est lancé : transformer Susanne pour qu'elle reste à Nouville ?

#33 Claudia fait des recherches

Tout le monde sait que Claudia et sa sœur sont aussi différentes que le jour et la nuit. En ouvrant l'album de photos
de famille, Claudia constate qu'il n'y a pas beaucoup de
photos d'elle toute petite. Et Claudia a beau chercher son
certificat de naissance et l'annonce de sa naissance dans de
vieux journaux, elle ne trouve rien. Claudia Kishi est-elle
vraiment ce qu'elle croit être ? Ou a-t-elle été… adoptée ?

#34 Trop de garçons pour Anne-Marie

Un amour de vacances va-t-il venir séparer Louis et
Anne-Marie ? Sophie et Vanessa ont, elles aussi, des problèmes avec les garçons. Décidément, il y a trop de garçons à Sea City !

#35 Mystère à Nouville !

Sophie et Charlotte découvrent une maison hantée… à
Nouville ! Les Baby-sitters arriveront-elles à résoudre ce
mystère des plus lugubres ?

#36 La gardienne de Jessie

Comment les parents de Jessie peuvent-ils lui imposer
une gardienne ? Jessie aura du mal à expliquer à tante
Cécile qu'elle peut très bien prendre soin d'elle-même.

#37 Le coup de foudre de Diane

Lorsque Diane rencontre Alexandre, elle a l'impression
que c'est le garçon idéal pour elle. Cependant, les autres
membres du Club des baby-sitters éprouvent une certaine
méfiance à l'égard d'Alexandre. Diane aura-t-elle une
peine d'amour ?

#38 L'admirateur secret de Christine

Quelqu'un envoie des lettres d'amour à Christine. Christine est persuadée qu'elles proviennent de Marc, l'entraîneur rival de balle molle. Mais ces notes deviennent bizarres, menaçantes même... Est-ce que Marc ou quelqu'un d'autre cherche à jouer un vilain tour à Christine?

#39 Pauvre Marjorie!

Le père de Marjorie a perdu son emploi! La famille arrivera-t-elle à joindre les deux bouts? Les jeunes Picard retroussent leurs manches et viennent en aide à leur père.

#40 Claudia et la tricheuse

Lors d'un important examen de mathématiques, Claudia est accusée d'avoir triché. Qui est donc la véritable tricheuse et pourquoi a-t-elle triché? Voilà un autre mystère que les Baby-sitters devront élucider.

#41 Est-ce fini entre Anne-Marie et Louis?

Anne-Marie croyait bien qu'elle et Louis c'était pour la vie... Mais, depuis quelque temps, ils se querellent pour des choses sans importance. Pourtant, lorsque Anne-Marie propose à Louis d'espacer leurs rencontres, il prend la chose d'une très mauvaise façon. Est-ce la fin de leur idylle?

ACHEVÉ D'IMPRIMER
EN DÉCEMBRE **1993**
SUR LES PRESSES DE
PAYETTE & SIMMS INC.
À SAINT-LAMBERT, P.Q.